AusBlick 2
Deutsch für Jugendliche und junge Erwachsene

Kursbuch

von Anni Fischer-Mitziviris

Hueber Verlag

6. 5. 4. | Die letzten Ziffern
2016 15 14 13 12 | bezeichnen Zahl und Jahr des Druckes.
Alle Drucke dieser Auflage können, da unverändert,
nebeneinander benutzt werden.
1. Auflage

Verlagsredaktion: CoLibris-Lektorat Dr. Barbara Welzel, Göttingen
Zeichnungen: Michael Luz
Umschlagfoto: © Plainpicture / Reutter, T.
Druck und Bindung: Stürtz GmbH, Würzburg
Printed in Germany
ISBN 978-3-19-001861-1

Liebe Leserinnen und Leser,

AusBlick ist ein dreibändiges Lehrwerk für Jugendliche und junge Erwachsene mit guten Grundkenntnissen der deutschen Sprache (Niveaustufe B1–C1 nach dem Gemeinsamen Europäischen Referenzrahmen für Sprachen). Band 2 bietet Material für etwa 200 Unterrichtseinheiten von je 45 Minuten.

Band	Niveaustufe	Prüfungen der jeweiligen Stufe, zum Beispiel:
AusBlick 1 Brückenkurs	**B1+**: Wiederholung und Vertiefung	Deutsches Sprachdiplom der Kultusministerkonferenz Stufe 1 (DSD I), Zertifikat Deutsch
AusBlick 2	**B2**	Goethe-Zertifikat B2, ÖSD B2
AusBlick 3	**C1**	Goethe-Zertifikat C1, Deutsches Sprachdiplom der Kultusministerkonferenz Stufe 2 (DSD II), ÖSD C1, telc C1

Texte und Themen

Die einzelnen Lektionen enthalten Themen, die aus dem Erfahrungsbereich von Jugendlichen und jungen Erwachsenen kommen. Jede Lektion ist in einzelne Abschnitte unterteilt (A, B, C ...). Jeder Abschnitt beleuchtet das Lektionsthema aus einer eigenen Perspektive. Die Texte lassen sowohl Identifikation („Das könnte ich auch sein.") als auch Distanzierung („Das würde ich nicht tun.") zu.
Viele Lektionen enthalten Auszüge aus Jugendbüchern. Vor allem diese Jugendbuchtexte regen das Leseinteresse an und bieten die Möglichkeit zur Identifikation und zur kritischen Auseinandersetzung mit der jeweiligen Handlung und den Protagonisten. Sie machen Lust zum Weiterlesen und zur eigenen Lektüre von Literatur.

Schulung der Fertigkeiten

Alle Fertigkeiten werden integriert geübt: Im Mittelpunkt stehen Lese- und Hörtexte (oder auch Bilder), an die sich Übungen zur Verständnissicherung und produktive Übungen anschließen (Sprechen und Schreiben). Gleichzeitig erhalten die Lernenden eine Reihe von praktischen Lerntipps, die schülerzentriertes Arbeiten und das selbstständige Arbeiten außerhalb eines Kurses ermöglichen.

Wortschatz- und Grammatikarbeit

Erfahrungsgemäß erleichtert eine solide Beherrschung des Wortschatzes die mündliche und schriftliche Textproduktion. Deshalb legt **AusBlick** ganz besonders auf die Arbeit mit dem lexikalischen Material wert. Die Schülerinnen und Schüler lernen, die Bedeutung von unbekannten Wörtern in Texten zu erschließen und selbstständig mit dem (einsprachigen) Wörterbuch umzugehen. Darüber hinaus erweitern und festigen sie ihren Wortschatz durch gezielte Anwendungsübungen und Lernspiele.

Die Übungen zur Grammatik sind jeweils an das Thema und die Texte der Lektion angebunden. Die Darstellung ist beispielorientiert; überflüssige Terminologie wird vermieden. In Band 2 werden die Grammatikthemen der Niveaustufe B2 geübt und gefestigt. Darüber hinaus wird alles wiederholt, was den Schülerinnen und Schülern erfahrungsgemäß immer wieder Probleme bereitet.

Viel Spaß beim Unterrichten und Lernen mit **AusBlick** wünschen Ihnen

Autoren und Verlag

Inhalt

Grammatik

Junge Leute in Deutschland

Welche Gruppen sind hier dargestellt?
Sprecht darüber in der Klasse.

Welche Jugendszenen gibt es auch in deinem Land?
Gehörst du selbst einer Jugendgruppe an oder hast du Sympathien für eine bestimmte Szene?
Beschreibe deine Gruppe und die Gründe, warum du in dieser Gruppe bist oder sie sympathisch findest.

A Die Jugend von heute

A1 Simone: Einsamkeit

Seht euch den Comic an. Schreibt dann in Partnerarbeit die Geschichte, die dargestellt ist, und lest sie in der Klasse vor.

Simone liegt auf ihrem Bett und sieht unzufrieden aus.

A2 Vielfältig und bunt!

a Such dir eine der Generationsbezeichnungen aus und lies sie genau. Erkläre sie dann deinen Mitschülern mit deinen eigenen Worten.

Generation Konsum:
Markenbewusstsein zählt nach wie vor. Die Werbeindustrie interessiert sich sehr für die jungen Konsumenten. Egal, ob Puma, Nike oder Adidas: Schuhe kosten schon mal 150 Euro. Klamotten sind genauso wichtig, und dann immer wieder: das Handy.

In dem Text steht, dass Jugendliche wichtige Kunden für Firmen sind, die Markenartikel produzieren. Die Produkte sind ziemlich teuer. Für Jugendliche sind vor allem Schuhe, Kleidung und Handy wichtig. Dabei kommt es außerdem immer noch auf die Marke an.

Lesetipp 1 – Lange Wörter
Trenne die Wörter in ihre Bestandteile. Wie heißt das Grundwort (= das letzte Wort)? Dann kannst du mithilfe der Bestimmungswörter (= alle anderen Teile davor) die Bedeutung ungefähr verstehen.

Lesetipp 2 – Unbekannte Wörter
Überleg dir zuerst, welche Wörter für das Textverständnis wichtig sind. Versuche dann, diese Wörter aus dem Kontext zu erschließen. Ein bis zwei Wörter pro Text kannst du im Wörterbuch nachschlagen oder deinen Lehrer danach fragen.

Generation Nesthocker:
Junge Leute bleiben immer länger im „Hotel Mama", statt sich eine eigene Wohnung zu suchen. Gründe für das zögerliche Auszugsverhalten sind lange Ausbildungszeiten, unsichere Berufsperspektiven und die Überlegung: Wer Miete zahlt, dem bleibt weniger für den Konsum.

Generation Gebildet:
Fast die Hälfte der Jüngeren geht zur Uni, also deutlich mehr als früher. Aber während man vor 30 Jahren nur sein Examen bestehen musste, kämpfen Studenten heute um Bestnoten, damit sie ihre Chancen am Arbeitsmarkt verbessern.

Generation Arbeitslos:
Immer mehr Jugendliche erhalten Sozialhilfe vom Staat, da ihre Eltern arbeitslos sind oder weil sie keinen Ausbildungsplatz bekommen. Die Jugendarbeitslosigkeit stieg nach Angaben der Bundesagentur für Arbeit im vergangenen Jahr auf über 11 Prozent.

Generation Reich:
Im vergangenen Jahr standen den Jugendlichen in Deutschland 20 Milliarden Euro für ihren Konsum zur Verfügung, also mehr denn je. Das ermittelte die „Kids Verbraucher Analyse".

Generation Ungebildet:
Die Mainzer Stiftung Lesen schätzt, dass knapp 20 Prozent der Lehrstellenbewerber abgelehnt werden, weil sie nicht ausreichend lesen und schreiben können.

Generation Scheidung:
In den letzten fünf Jahren erlebten mehr als 160 000 Kinder und Jugendliche die Trennung ihrer verheirateten Eltern – 58 Prozent mehr als vor 10 Jahren.

Generation Familie:
Die Familie bleibt die vorherrschende Lebensform. 67 Prozent der 16- bis 24-Jährigen wollen später heiraten und eine Familie gründen.

b Welche Beschreibungen treffen eurer Meinung nach am ehesten auf die Jugendlichen in eurem Land zu? Wählt zwei bis drei davon aus und vergleicht.

Bei uns sind die Jugendlichen auch so ... / genauso ... / nicht so ... wie in Deutschland / anders als in Deutschland.
Sie sind viel ... / eher ... / ein bisschen ... als in Deutschland.
... gilt auch/nicht für die Jugendlichen bei uns.
... unterscheiden sich darin, dass sie ...

A3 Projekt: Jugendszene in meinem Heimatland

Sammelt Informationen über verschiedene Gruppen im Internet, in Büchern, Jugendzeitschriften usw. und stellt die Gruppen in der Klasse vor.

B (K)ein bisschen erwachsen

a Wer darf, kann oder muss das deiner Meinung nach tun? Ordne die Ausdrücke im Kasten den drei Gruppen – Kinder, Jugendliche oder Erwachsene – zu und begründe deine Meinung.

ein Auto kaufen ▪ einen PC haben ▪ sich schminken ▪ Kinderbücher lesen ▪ simsen ▪ tolle Klamotten tragen ▪ den Führerschein machen ▪ auf den Spielplatz gehen ▪ sich verlieben ▪ babysitten ▪ heiraten ▪ ein Kind bekommen ▪ in eine Spielothek gehen ▪ Verantwortung für andere übernehmen ▪ mit Freunden Urlaub machen ▪ bei Freunden übernachten ▪ spät abends fernsehen ▪ in die Disco gehen ▪ einen Kredit aufnehmen

Ich glaube, Jugendliche können kein Auto kaufen. / Meiner Meinung nach passt der Autokauf am besten zu Erwachsenen, weil Jugendliche nicht so viel Geld haben.
Ich denke, dass ... Meiner Ansicht nach ... Ich bin der Ansicht ...

b Was unterscheidet Jugend von Kindheit?

Lies das Interview. Zu welchen Themen äußern sich die Schüler?

1 Selbstständigkeit
2 Freizeitverhalten
3 Rolle der Eltern
4 Verantwortung
5 Schlüsselerlebnis beim Erwachsenwerden
6 Taschengeld
7 Ferienjobs
8 eigenes Lebensgefühl

Notiere dann, was die Jugendlichen zu diesen Themen sagen.

Was unterscheidet Jugend von Kindheit?
Wanda, 17: Man hat als Kind keine Probleme oder andere Leute lösen die Probleme für einen. Das ändert sich, wenn man Jugendlicher ist. Ich muss mich selbst um meine Probleme kümmern. So werde ich selbstständiger und unabhängiger.
Mauritz, 18: Als Kind ist man einfach behüteter. Ich habe früher nicht überlegt, was für Folgen mein Handeln hatte. Als Jugendlicher muss ich lernen, Verantwortung für mich und andere zu übernehmen.

Gab es für euch ein Erlebnis, das euch zeigte: Jetzt seid ihr kein Kind mehr?
Simon, 17: Als ich das erste Mal im Praktikum gesiezt wurde. Das war für mich ein total komisches Gefühl, weil ich mich noch nicht so erwachsen gefühlt habe.
Sophia, 16: Als ich das erste Mal allein verreist bin, habe ich auf einmal gemerkt: Es gibt jetzt keinen, der mir sagt, was ich machen muss und was nicht.

Angela, 17: Für mich war es der Schüleraustausch. Da war ich 15. Ich bin für drei Monate nach England gegangen und habe alles hinter mir gelassen, was mir bekannt war. Ich konnte machen, was ich wollte, und musste auf mich selbst aufpassen. Da habe ich ganz viele neue Erfahrungen gesammelt und bin erwachsener geworden.
Anna, 16: Als Kind habe ich mit Jungen zusammen gespielt und mir darüber keine Gedanken gemacht. Plötzlich, so mit 12 oder 13, hat sich alles geändert. Ich habe mich plötzlich für Jungs interessiert und mir mehr Gedanken über mein Äußeres gemacht.
Veronika, 18: Als ich das erste Mal mit meinen vier Freundinnen allein nach Holland gefahren bin. Wir haben uns das spontan überlegt und waren nicht mehr zu bremsen. Zuerst waren die Eltern dagegen. Wir mussten mit Gesprächen und Überzeugungsarbeit dafür kämpfen. Nachher war es ein sehr gutes Gefühl, das durchgesetzt zu haben.

Welche Vor- und Nachteile haben Kindheit und Jugend?
Sophia, 16: Als Kind haben die Eltern auf mich aufgepasst, damit mir nichts Schlimmes passiert. Wenn heute etwas schiefläuft, möchte ich manchmal sagen: Mama, mach mal!
Angela, 17: Ich gehe sehr viel babysitten. Wenn ich die Kinder beobachte, denke ich, dass sie ein sorgloses Leben haben. Ich spiele mit ihnen, dann mache ich ihnen etwas zu essen. Wenn sie das nicht mögen, fangen sie an zu weinen. Irgendwann ist alles wieder geklärt.

Seid ihr jetzt schon erwachsen oder immer noch ein Kind?
Anna, 16: So richtig erwachsen fühle ich mich nicht, jugendlich passt besser.
Wanda, 17: Wenn ich babysitte und mit dem Kind auf dem Spielplatz bin, denken viele, ich wäre die Mutter. Das erschreckt mich schon. Weil ich mich noch nicht so fühle, als könnte ich Mutter sein. Ich weiß, dann wird es ernst. Ich will lieber noch Spaß haben.
Simon, 17: Ich würde mich nicht als erwachsen bezeichnen. Aber ich merke, dass ich erwachsener geworden bin. Auch, weil es Sachen gibt, die keiner mehr für mich macht.
Lisa, 17: Ich fühle mich oft noch jugendlich und mache das, wozu ich gerade Lust habe. Andererseits fühle ich mich schon erwachsen, weil ich für meine jüngeren Geschwister Verantwortung übernehmen muss. Es gibt aber auch Situationen, wo ich noch Kind bin. Absichtlich. Ich lese dann Kinderbücher von Astrid Lindgren. Dabei kann ich mich gut entspannen. Man darf es nicht übertreiben, aber ein bisschen Kindsein finde ich immer noch wichtig.

c Welche Vor- und Nachteile hat die Jugend im Vergleich zur Kindheit nach Aussage der jungen Leute?

d Hör den zweiten Teil des Gesprächs, das der Journalist mit Sophia (16), Angela (17), Simon (17), Mauritz (18) und Wanda (17) geführt hat. Ergänze dann seine Notizen.

Musikgeschmack	*richtet sich nach dem Musikgeschmack von Freunden*
Mode	
Verhältnis zu Lehrern	
Verhältnis zu Eltern	
Regeln zu Hause	
Essen	

e Wie ist es bei euch? Wie sehen sich die Jugendlichen selbst?
Macht eine Umfrage in der Klasse.

f Hör das Gespräch noch einmal. Notiere die passenden Modalverben.

~~durfte~~ ▪ durfte ▪ konnte ▪ konnte ▪ mag ▪ möchte ▪ musste ▪ musste ▪ musste ▪ sollte ▪ sollte ▪ wollte ▪ wollte ▪ wollte

Ich durfte nicht allein zu Hause schlafen.

1. Ab einem gewissen Alter ? man bei der Kleidung seinen eigenen Stil haben.
2. Ich ? unbedingt Schlaghosen tragen, weil die anderen sie auch trugen.
3. Meine Mutter ? sich nicht ärgern, weil ich mich nie extrem angezogen habe.
4. Bei meinen Klamotten ? ich machen, was ich ?, weil ich sie von meinem Taschengeld bezahlt habe.
5. Ich ? abends länger ausgehen, als mein Freund volljährig wurde.
6. Früher ? ich alles essen, was ich ?, ohne zuzunehmen.
7. Ich mache keine Diät, denn mein Freund ? mich, wie ich bin.
8. Ich ? mich gern gesund ernähren.
9. Ich ? keine kurzen Tops tragen. Meine Mutter ? es nicht.
10. Ich ? bei meiner Freundin übernachten, wenn meine Eltern verreist waren.

GR1 Bedeutung der Modalverben

Modalverb	Bedeutung	Beispiel
dürfen	Erlaubnis	
können	Möglichkeit Fähigkeit Erlaubnis	 *6* *4*
möchte (Konjunktiv II)	höflicher Wunsch Plan, Absicht	
mögen	Geschmack Vorliebe Zuneigung	
müssen	Notwendigkeit Pflicht Zwang	
sollen	Bitte oder Aufforderung durch eine andere Person	
sollte (Konjunktiv II)	Empfehlung, Rat	
wollen	Wunsch Plan, Absicht	

g Zu welchen modalen Bedeutungen findest du in den unter f genannten Sätzen ein Beispiel? Ordne die Sätze zu.

C Jugendstudie

C1 Interview mit dem Jugendforscher Leo Tillmann über die Jugend von heute

Hör das Interview und löse die Aufgaben.

1 Wie entstehen Generationsbezeichnungen?
a Dadurch dass alle Jugendlichen bestimmte typische Eigenschaften haben.
b Dadurch dass man den Jugendlichen zu jeder Zeit einen Namen geben muss.
c Dadurch dass man die Merkmale einer kleineren Gruppe verallgemeinert.

2 Was ist damit gemeint, dass die Lebensphase „Jugend" heute früher beginnt als je zuvor?
a Junge Leute kommen heute früher in die Pubertät.
b Der Hormonhaushalt ist bei Jungen nicht so stark entwickelt wie bei Mädchen.
c Das Leben von jungen Leuten entwickelt sich heute immer schneller.

3 Woran kann man erkennen, dass die Lebensphase „Jugend" heute länger dauert als früher?
a Daran, dass die Jugendphase früher beginnt.
b Daran, dass junge Menschen viel später Beruf und Familie haben.
c Daran, dass junge Menschen heute schwerer einen guten Arbeitsplatz finden.

4 Welche Gründe gibt es dafür, dass Jugendliche nicht gern feste Beziehungen eingehen wollen?
a Sie verdienen nicht genug Geld, um eine Familie zu ernähren.
b Sie fürchten sich vor einer unsicheren beruflichen Zukunft.
c Sie sind nicht so fleißig wie frühere Generationen.

5 Warum wohnen die Jugendlichen gern lange bei ihren Eltern?
a Sie fühlen sich dort sicher und wohl.
b Sie planen ihr Leben gemeinsam.
c Weil das junge Menschen überall auf der Welt so machen.

6 Warum ist der Kontakt zur Mutter besonders eng?
a Weil viele Jugendliche eine krankhafte Mutterbindung haben.
b Weil sie dadurch eine Art Lebenspartnerin haben.
c Weil die Mutter alles für sie tut, ohne viel dafür zu verlangen.

7 Welche Vorteile hat es für die Jugendlichen, länger bei den Eltern wohnen zu bleiben?
a Die Jugendlichen können sich besser entwickeln.
b Die Eltern ermöglichen ihnen, öfter auszugehen.
c Es ist bequem und billiger für sie.

8 Welche Unterschiede stellt man zwischen Mädchen und Jungen fest?
a Mädchen sind im Allgemeinen intelligenter als Jungen.
b Mädchen packen Probleme aktiver an.
c Jungen haben generell eine schlechtere Berufsausbildung.

9 Welche Zukunftswünsche haben die Mädchen?
a Ihnen ist Beruf und Familie gleichermaßen wichtig.
b Sie wollen Hausfrau und Mutter werden.
c Sie möchten sich am liebsten westlich orientieren.

10 Was wird über die jungen Männer gesagt?
a Sie sind in Bezug auf ihre „Männerrolle" unflexibel.
b Sie besuchen nur die Hauptschule.
c Sie brauchen in der Schule häufiger Nachhilfe als Mädchen.

C2 Shell Jugendstudie: eine pragmatische Generation unter Druck

a Überlegt euch anhand der Einleitung und der Überschriften, was in diesem Text stehen könnte, und macht Notizen.

b Lest den Text und vergleicht mit euren Notizen.

Jugendliche sind sich der großen Probleme der Gesellschaft in hohem Maße bewusst. Vom Altern der Gesellschaft über Probleme am Arbeitsmarkt bis hin zu ihren eigenen Zukunftsperspektiven: Jugendliche stellen sich den Herausforderungen. Was auch auf sie zukommt – sie suchen eine Lösung.

„Aufstieg" statt „Ausstieg" bleibt die Devise der Jugendlichen. Auch wenn ihre Aussichten ihnen vielleicht düsterer erscheinen als noch vor vier Jahren: Sie lassen sich nicht entmutigen. Sie suchen individuelle Wege und schaffen Strukturen, in denen sie weiterkommen können.

Bildung entscheidet über Zukunft

Der Schulabschluss bleibt der Schlüssel zum Erfolg: Jugendliche aus sozial bessergestellten Elternhäusern besuchen Schulformen, die bessere Zukunftschancen erwarten lassen als Jugendliche aus sozial schwierigen Verhältnissen. So blicken auch Jugendliche an Hauptschulen weniger optimistisch in die Zukunft als ihre Altersgenossen an Gymnasien. In puncto Arbeitsplatz zeigt die Studie, dass Jugendliche heute deutlich mehr Angst haben, ihren Arbeitsplatz zu verlieren bzw. keine adäquate Beschäftigung finden zu können.

Mädchen auf der Überholspur

Bemerkenswert ist in diesem Zusammenhang der geschlechtsspezifische Trend. Junge Frauen haben im Bereich der Schulbildung die jungen Männer überholt und streben auch zukünftig häufiger höherwertige Bildungsabschlüsse an: 55 Prozent der befragten Mädchen wollen das Abitur machen, von den Jungen sind es dagegen nur 47 Prozent.

Familie gewinnt an Bedeutung

In Zeiten wirtschaftlicher Unsicherheit bietet die Familie Sicherheit, sozialen Rückhalt und emotionale Unterstützung. 73 Prozent der Jugendlichen von 18 bis 21 Jahren leben noch bei ihren Eltern. Harmonie in den eigenen vier Wänden ist angesagt: 90 Prozent der Jugendlichen erklären, gut mit ihren Eltern auszukommen, und 71 Prozent würden auch ihre eigenen Kinder genauso oder so ähnlich erziehen.

Großer Respekt vor der älteren Generation

Zur älteren Generation gehören einerseits die Hochbetagten. Diese Generation genießt das Image der „Aufbaugeneration" – ihre Leistung bringt ihnen den Respekt der Jugendlichen ein. Auf der anderen Seite stehen die „Jungen Alten" – fit, aktiv und offen für Neues. Das sehen die Jugendlichen grundsätzlich positiv. Es wird erst dann problematisch, wenn die Senioren sich zu sehr einmischen oder zur Konkurrenz werden.

Keine Renaissance der Religion

Die Jugendstudie zeigt, dass die meisten Jugendlichen in Deutschland nach wie vor eine nur mäßige Beziehung zu kirchlich-religiösen Glaubensvorgaben haben. Nur 30 Prozent glauben an einen persönlichen Gott, weitere 19 Prozent an eine unpersönliche höhere Macht. 28 Prozent der Jugendlichen stehen dagegen der Religion fern, der Rest (23 Prozent) ist sich in religiösen Dingen unsicher. Typisch für die heutige Jugend ist, dass sie zwar die Institution der Kirche grundsätzlich bejaht, gleichzeitig aber die Kirche stark kritisiert. 65 Prozent finden, die Kirche habe keine Antworten auf Fragen, die Jugendliche heute wirklich bewegen.

Weiter Aufwind für Fleiß und Ehrgeiz

Das Wertesystem der Jugendlichen weist eine positive und stabile Ausrichtung auf. Familie, Freundschaft, Partnerschaft sowie Eigenverantwortung sind weiter „in", begleitet von er-

65 höhtem Streben nach persönlicher Unabhängigkeit. Kreativität, aber auch Sicherheit und Ordnung werden als wichtig betrachtet. Die Tugenden Fleiß und Ehrgeiz befinden sich weiter im Aufwind. Damit vermischen sich in
70 den Lebensorientierungen junger Menschen weiterhin moderne und traditionelle Werte.

Interesse an Politik und Parteien steigt leicht an

Das Interesse an Politik ist weiterhin niedrig.
75 Trotz eines leichten Anstiegs im Vergleich zur Shell Jugendstudie 2002 kann man noch nicht von einer Trendwende sprechen. Der Prozentsatz der politisch Interessierten ist von 34 Prozent 2002 auf 39 Prozent angestiegen. Auch in
80 die politischen Parteien und in die Bundesregierung ist das Vertrauen der Heranwachsenden weiterhin gering. Politik stellt für die Mehrheit der Jugendlichen keine Größe mehr dar, an der sie sich orientieren können.

85 **Europa**

Europa ist weiterhin angesagt: 60 Prozent bezeichnen Europa im Vergleich zu 62 Prozent im Jahr 2002 nach wie vor als „in". Im Vergleich zu damals ist die „Europa-Euphorie"
90 aber inzwischen einer etwas nüchterneren Betrachtungsweise gewichen. Junge Leute kritisieren vor allem Bürokratie und Geldverschwendung in Europa.

c Steht das im Text? Wenn ja, gib auch die Textstelle an.
Korrigiere die falschen Aussagen.

1 Die Jugendlichen sind darauf vorbereitet, sich mit großen Problemen auseinandersetzen zu müssen.
2 Die Jugendlichen glauben, dass Probleme jetzt leichter gelöst werden können als noch vor einigen Jahren.
3 Kinder aus armen Familien bekommen meist eine schlechtere Schulbildung.
4 Die Jugendlichen glauben, dass ein Gymnasialabschluss ihnen einen sicheren Arbeitsplatz verschaffen kann.
5 Mädchen sind eher an einem qualifizierten Schulabschluss interessiert als Jungen.
6 Die meisten Jugendlichen sind mit den Erziehungsmethoden ihrer Eltern einverstanden.
7 Häufig mischen sich die Eltern zu sehr in die Angelegenheiten ihrer Kinder ein.
8 Fast zwei Drittel der jungen Leute erwarten von der Kirche, dass sie sich mit den Problemen der Jugendlichen beschäftigt.
9 Die meisten Jugendlichen halten Ehe und Familie für zeitgemäß, und Eigenschaften wie Fleiß und Ehrgeiz gewinnen immer mehr an Bedeutung.
10 Die Jugendlichen haben zwar Interesse an der Europäischen Union, finden aber nicht alles gut, was da passiert.

C3 Projekt: Internetrecherche

Sucht mehr Informationen zu den einzelnen Abschnitten der Shell Jugendstudie im Internet unter:
http://www.shell.de/Jugendstudie

D Darf ich? Was das Jugendschutzgesetz vorschreibt

a Lest euch die Fragen A bis C durch, überlegt euch Antworten und macht Notizen.

b Lest dann, was Jugendliche in Deutschland auf diese Fragen geantwortet haben und notiert in euer Heft die Dinge, die das Jugendschutzgesetz (Text 1 bis 3) zusätzlich nennt.

A In welchem Alter und wie lange dürfen Kinder und Jugendliche in Discos, Gaststätten, Internetcafés oder Spielhallen gehen?

Frank, 15:
Meine Freunde sind alle schon 16 Jahre alt und müssen erst um 24 Uhr nach Hause kommen, nur ich muss schon um 22 Uhr daheim sein. Das finde ich gemein, ich werde doch auch bald 16.

Vanessa, 13:
Leider dauert es noch eine ganze Weile, bis ich 14 werde. Doch dann bin ich eine Jugendliche und darf bis 22 Uhr wegbleiben. Das haben mir meine Eltern gesagt.

Karina, 15:
Meine Freundinnen und ich haben neulich mal versucht, in eine Spielhalle zu kommen. Da gehen nämlich immer die Jungs aus unserem Dorf hin und machen Videospiele. Aber leider ist es für Jugendliche unter 18 verboten, in Spielhallen zu gehen.

Jessica, 17:
Laut Jugendschutzgesetz muss ich um 24 Uhr zu Hause sein, aber meine Eltern sind total cool und erlauben mir am Wochenende, bis 1 Uhr wegzubleiben.

1 Im Jugendschutzgesetz gibt es Zeitgrenzen für bestimmte Orte. Ab 16 Jahren dürfen sich Jugendliche allein bis 24 Uhr in Gaststätten, Cafés und Discos aufhalten. In Internetcafés muss der Besitzer darauf achten, dass die Jugendlichen nur solche Spiele benutzen, die laut Alterskennzeichnung für ihre Altersgruppe erlaubt sind. Die Vorschriften gelten nicht für private Feiern. Der Besuch von Spielhallen ist für Jugendliche verboten.

B Ab welchem Alter darf man in welchen Film gehen?

Julia, 15:
Viele Kinofilme, die ich gerne sehen würde, sind erst ab 16 Jahren. Das ärgert mich. Meine Eltern sagen immer, ich soll warten, bis die Filme im Fernsehen laufen.

Andreas, 14:
Ich wäre froh, wenn ich schon 16 Jahre alt wäre. Dann dürfte ich endlich in die Actionfilme im Kino. Die Filme, die ich sehen darf, finde ich langweilig.

Tatjana, 17:
In die Spätvorstellung, also in Filme, die nach 22 Uhr laufen, darf man als Jugendlicher eigentlich gar nicht gehen. Ich hatte aber noch nie Probleme reinzukommen, weil ich immer auf 18 geschätzt werde.

Steffi, 16:
Mein kleiner Bruder beschwert sich oft, dass er einige Filme im Kino nicht sehen darf. Die Frau an der Kasse sagt immer, dass das gesetzlich verboten ist. Ich habe da aber kein Problem mehr, weil ich ja schon 16 bin.

2 Die Filme sind mit dem Mindestalter für den Besucher gekennzeichnet: „ab 6 Jahren", „ab 12 Jahren", „ab 16 Jahren", „keine Jugendfreigabe". Die Vorführung von Filmen für 14- bis 15-Jährige muss um 22 Uhr beendet sein, die von Filmen für Jugendliche ab 16 Jahren um 24 Uhr. Der Zugang zu Videotheken ist erlaubt, wenn diese keine verbotenen Produkte vermieten oder verkaufen.

C Wer darf Alkohol trinken und wer darf rauchen?

Felix, 16:
Ich bin schon 16 und darf somit auch rauchen und Alkohol trinken. Aber ich habe mal gehört, dass man unter 18 Jahren nur leichten Alkohol, also Bier oder Wein, trinken und auch kaufen darf.

Katharina, 15:
Rauchen ist eigentlich erst ab 16 Jahren erlaubt, aber ich werde am Kiosk nie nach meinem Ausweis gefragt, wenn ich Zigaretten kaufen will. Doch ich habe schon Angst, mal erwischt zu werden. Dann kommt's raus, weil die Leute dort dann meine Eltern verständigen.

Malte, 18:
Als ich noch nicht 16 war, hat mein großer Bruder immer für mich Zigaretten gekauft.

Björn, 15:
Wenn ich endlich 16 bin, gehe ich zum Kiosk und kaufe Zigaretten, obwohl ich gar nicht rauche. Ich will ausnutzen, dass ich das dann darf.

3 Kinder und Jugendliche unter 16 Jahren dürfen in der Öffentlichkeit nicht rauchen. Man darf ihnen keine Tabakwaren geben. In Gaststätten müssen volljährige Geschwister oder Eltern aufpassen, dass die Jugendlichen nicht rauchen. Für Alkohol gelten die gleichen Regeln. Einzige Ausnahme: Jugendliche zwischen 14 und 16 dürfen Getränke mit wenig Alkohol, z. B. Bier, Wein und Sekt, in der Öffentlichkeit kaufen und konsumieren, wenn die Eltern dabei sind.

c Einige Kinder und Jugendliche wissen nicht, wie sie sich richtig verhalten sollen. Beantworte ihre Fragen mit den Informationen aus b wie im Beispiel.

Beispiel: Nächsten Monat werde ich 16. Darf ich dann die ganze Nacht in der Disco bleiben?
Mit 16 darfst du allein in die Disco gehen. Aber nur bis 24 Uhr. Es gibt eine Ausnahme.
Wenn es in der Disco eine private Feier gibt, darfst du auch länger bleiben.

- Sind bestimmte Computerspiele für Jugendliche unter 18 verboten?
- Ist es erlaubt, dass ein Jugendlicher mit 16 Getränke mit viel Alkohol trinkt?
- Dürfen Jugendliche unter 16 Jahren auf der Straße rauchen?
- Dürfen Jugendliche in Spielhallen gehen?
- Wird im Kino oder in der Disco eigentlich immer der Ausweis kontrolliert?
- Sind Actionfilme für jedes Alter freigegeben?
- Ich bin 17. Darf ich in die Spätvorstellung von 23.15 Uhr bis 1.30 Uhr?

GR2 Infinitiv mit „zu"

Nach Verben und Ausdrücken:
Meine Freundinnen haben versucht, in Spielhallen zu kommen.

Nach Ausdrücken mit „es":
Es ist verboten, nach 24 Uhr in die Disco zu gehen.

Ergänze folgende Sätze sinngemäß:

Nach dem Jugendschutzgesetz ist es Jugendlichen unter 16 Jahren untersagt ...
Das Jugendschutzgesetz erlaubt Jugendlichen im Alter von 16 bis 18 Jahren ...
Nach 24 Uhr ist es für Jugendliche unter 18 Jahren nicht erlaubt ...

E

Mit Vollgas in die Kurve

Bernhard Hagemann ist als Fotograf tätig und schreibt Bücher für Kinder und Jugendliche. Sein Jugendbuch „Mit Vollgas in die Kurve" ist 1999 im Ravensburger Buchverlag erschienen.

a Lies die beiden ersten Textabschnitte.
Wo ist der Erzähler? Was macht er dort?
Ordne die Bilder den beiden Abschnitten zu.
Welche der beschriebenen Details sind auf den Bildern zu sehen?

Fluss-Surfen ist unser Sommersport. Wasserski auf fließendem Gewässer. Ein altes Surfbrett schwimmt im Wasser. Es ist das alte Surfbrett von Philipps Vater. Durch ein Loch vorne im 5 Brett ist eine Leine geführt, mit der das Brett am Steg befestigt ist. Am gleichen Loch ist eine kürzere Schnur mit einem Rundholz festgebunden. Wir stehen auf dem Brett und halten uns am Rundholz fest. Durch Gewichtsverla- 10 gerungen können wir Kurven fahren. Je länger das Seil ist, desto größer die Kurven. Und desto größer das Risiko. „Du kannst es nicht lassen", sagt Philipp. „Du und deine Kurven." – „Bisschen was muss man riskieren, sonst ist es zu 15 langweilig."

Ich bin klitschnass und mir wird kalt im Schatten. Ich gehe auf den Steg und lege mich bäuchlings auf das sonnenwarme Holz. Ich höre das Rauschen des Wehrs, das Murmeln des Was- 20 sers und in der Ferne einen Mähdrescher. Ein herannahendes Auto mischt sich in die Laute. Die Reifen knirschen über den Kies. Das Nageln eines alten Dieselmotors wird kurz lauter, bevor es stirbt. Ich bleibe liegen und sehe nicht 25 auf. Mit dem Auto an diese Stelle zum Fluss zu fahren ist eigentlich verboten. Einige halten sich nicht an das Verbot. Zu ihnen gehört mein Bruder Kaspar. „Der Meister persönlich!", bemerkt Philipp und kommt zu mir auf den Steg. Er 30 setzt sich neben mich. „Mmhh!", mache ich.

b Lies die nächsten Abschnitte.
Zu wem passen die Aussagen? Ordne sie den fünf Jugendlichen zu: dem Erzähler, Philipp, Kaspar, Konrad und Judith. (Manchmal gibt es mehrere Lösungen.)

1 möchte den anderen imponieren.
2 sind ein gutes Team.
3 bewundert Kaspar sehr.
4 ist sehr sportlich.
5 versucht nicht, die Aufmerksamkeit der anderen auf sich zu ziehen.
6 schwärmt für Kaspar.
7 sieht gut aus.
8 ist es gewohnt, bewundert zu werden.
9 ist ziemlich bescheiden.

Beispiel: *8 – Kaspar (ist es gewohnt, bewundert zu werden)*

Schritte kommen näher. Gelächter. Ich höre das Gackern eines Mädchens. „Bruderherz. Schau an, schau an“, höre ich hinter mir Kaspar. Ich drehe mich um und blinzle in die Sonne. Im Gegenlicht erkenne ich blass meinen Bruder Kaspar, seinen Freund Konrad und ein Mädchen. Sie ist blond und schön. Sie trägt abgeschnittene Jeans und ein hautenges T-Shirt. Kaspar und Konrad stecken in ihren viel zu großen Blaumännern, wie immer. Alte Monteuranzüge, die an ihnen hängen wie luftleere Ballons. Kaspar und Konrad sind ein wildes Gespann. Beide groß, mindestens einsneunzig und schulterlange Haare. Sie verbringen ihre meiste Zeit mit dem Herumfahren in einem alten Mercedes Diesel, einem 240D. Baujahr 1982. Hundertdreiundzwanziger Serie.

„Hallo!“, sage ich. „Seid ihr gesurft?“, fragt Konrad. „Ja!“, antworte ich. „Ging gut?“, fragt mein Bruder. „Ging gut!“, sagt Philipp. Ich höre kurz das Singen eines Reißverschlusses. Dann gleitet der Blaumann an meinem Bruder herab. In Unterhose und unter den interessierten Blicken des Mädchens kommt er auf den Steg. Mit einem Tritt kickt er das Seil ins Wasser, schnappt sich das Brett und springt in den Fluss. Unter Wasser noch bekommt er das Seil zu fassen und klemmt sich das Brett unter die Füße. Wieder an der Wasseroberfläche ist er der perfekte Surfer. Er steht auf dem Brett, als hätte ihn der liebe Gott persönlich dort hingestellt.

Aber das ist typisch für meinen Bruder. Auf Fortbewegungsmitteln, wenn er mit Flieh- und Anziehungskräften zu tun hat, bleibt er immer Sieger. Unter meinen bewundernden Blicken vollführt er jetzt die schönsten Figuren. Kurven, in einer Schräglage, von der ich nur träumen kann. „Wow“, ruft das Mädchen meinem Bruder zu. „Sieht toll aus.“ Sie setzt sich auf den Steg mit Blick auf Kaspar und mit dem Rücken zu mir. Sie wendet für einen Augenblick ihren Kopf und lächelt mich an. „Dein Bruder ist wirklich ein verrückter Kerl!“, schwärmt sie.

c Charakterisiere die Jugendlichen aufgrund der Aussagen im Text und in b.
Welche Beziehungen haben die Jugendlichen untereinander?
Wie verhält sich Kaspar und wie wirkt er auf die anderen Jugendlichen?

d Lies den folgenden Abschnitt.
Beschreibe die beiden Brüder und ihre Beziehung zu Mädchen. Worin unterscheiden sie sich?

Jetzt erst erkenne ich sie. Es ist Judith Steinberger. Die große Schwester von Laura, dem göttlichen Wesen in meiner Klasse. Ach, Laura! Judith wendet ihren Blick von mir ab. Aber nur für Sekunden. Dann sieht sie mich wieder an. „Du bist in der Klasse von meiner Schwester“, sagt sie. „Der Laura. Oder?“ „Ja“, sage ich. Dann schenkt Judith ihre Aufmerksamkeit wieder meinem Bruder. Kaspar gleitet eine Zeit lang mit aller Eleganz über das Wasser. Das Brett unter seinen Füßen kämpft angriffslustig mit dem unter ihm rauschenden Wasser. Als er genug hat, lässt Kaspar das Seil los, rutscht vom Brett und lässt sich ans Ufer treiben. Das Brett schwänzelt mit unruhigen Bewegungen im Wasser. Ein Stück dahinter das Rundholz. „Jetzt du, Konrad!“, ruft mein Bruder. „Kein Bock!“, antwortet ihm Konrad. „Komm, fahren wir weiter!“

Mein Bruder kommt aus dem Wasser und legt sich neben mich auf den Steg. Er lässt sich von der Sonne trocknen. Seine Hand landet auf Judiths Knie. Ganz von allein, als wäre es ihr angestammter Platz. So einfach kann das mit Mädchen gehen, denke ich, wenn man cool ist. Wenig später steigen sie ins Auto, winken uns zu und verschwinden.

Konsum und Umgang mit Geld

Du hast zu Weihnachten 500 Euro geschenkt bekommen. Von dem Geld möchtest du 100–150 Euro sparen und von dem übrigen Geld möchtest du dir möglichst viel leisten.
Überleg dir zuerst, was du dir in den Läden auf dem Spielplan von diesem Geld alles kaufen kannst.

Spielmaterial:
pro Spieler einen Spielstein (Münzen, Radiergummis, Fingerringe oder Ähnliches)
1 Würfel

So geht's:
Jeder würfelt einmal und rückt vor. Wer nicht vorrücken will, bleibt stehen und setzt danach eine Runde aus.

Wer auf ein blaues Feld kommt, muss in den Laden gehen und dort etwas kaufen. Dabei muss er den Mitspielern sagen, was er kauft und warum. Will er nichts kaufen und sein Geld sparen, muss er eine Runde aussetzen. Er muss zuvor begründen, warum er nichts kauft.

Wer etwas kauft, darf bei Ausgaben bis zu 50 Euro ein Feld vorrücken, bei Ausgaben über 50 Euro darf er drei Felder vor.

Wer auf ein grünes Feld kommt, rückt zwei Felder vor.

Wer auf ein rotes Feld kommt, muss ein Feld zurück.

Wer auf ein Feld kommt, von wo eine Rolltreppe abgeht oder wo eine Rolltreppe landet, darf die Rolltreppe benutzen und auf ihr in einem Zug nach oben oder unten fahren.

Gewonnen hat, wer als Erster am Ziel ankommt und dabei zwischen 100 und 150 Euro übrig hat.

A YOU BERLIN – Europas größte Jugendmesse für Outfit, Sport und Lifestyle

A1 Qual der Wahl

Welche Veranstaltungen würdest du gern besuchen? Begründe deine Meinung.

... würde mich interessieren (, weil ...)
... würde ich mir gern mal anschauen (, denn ...)
... muss doch furchtbar interessant sein (, da ...)
... wollte ich schon immer mal sehen/machen. (Deshalb ...)

„Musik nonstop“:
Auf 55 000 Quadratmetern Rock, Pop oder Hip-Hop, für jeden Geschmack das Passende.

75 Live-Acts

auf vier Bühnen mit Stars aus Showbiz und Sport – unter anderem die

US5, Cinema Bizarre und No Angels, Mark Medlock, die Killerpilze.

Rund ums Kicken ...

... geht's in der Futsal-, Footbag-, Freestyle-, Soccout- und Kicker-Halle. Futsal bringt den Straßenfußball Brasiliens nach Deutschland. Football-Freestyler ignorieren die Schwerkraft, Soccout-Turniere wecken den Kampfgeist und beim Tischkicker ist schnelle Reaktion wichtig.

Sportfans können in drei Hallen Trendsportarten wie Bossaball, Inline-Hockey und Waterjump ausprobieren.

Talk, Quiz, Castings und Autogrammstunden

Schlussveranstaltung der bundesweiten „Mädchen Styling Tour“, die an vielen Orten der ganzen Bundesrepublik zu sehen war, auf der YOU in Berlin. Am Bus können sich Mädchen eine neue Frisur oder ein cooles Make-up machen lassen.

NEU in diesem Jahr:

Bei den „Tagen der Berufsausbildung“ informieren rund 100 Unternehmen und Verbände die Jugendlichen über Berufschancen und nehmen Bewerbungen entgegen. In Halle 18 informieren Firmen und Partner der beruflichen Bildung Schüler und interessierte Eltern über moderne Ausbildungsberufe in Industrie, Handel und Handwerk.

A2 Presse-Dienst zur YOU BERLIN: Was war am 26. und 27. Oktober?

a Lies den Text und löse dann die Aufgaben zum Text.

Nachwuchsjournalisten des Workshops YoungPress schauen hinter die Kulissen von Europas größter Jugendmesse und berichten über die neuesten Trends von Sport, Musik, Lifestyle und Beauty. Begleitet von professionellen Journalisten erstellen die Teilnehmer von YoungPress den täglichen Pressedienst der YOU BERLIN.

Genau 41 747 Jugendliche stürmten am ersten Messetag die Hallen der YOU BERLIN, um sich in den Bereichen Musik, Sport, Lifestyle zu informieren und Spaß zu haben. Das sind fast 5000 mehr als im Vorjahr.

Der Altersdurchschnitt liegt bisher bei 16,2 Jahren. Damit wendet sich die YOU BERLIN vor allem an die 17- bis 21-Jährigen. 54 Prozent der Besucher sind weiblich. Dass so viele Mädchen teilnehmen, ist vor allem mit dem Musikprogramm zu erklären, denn gerade die Teeniebands sprechen eher weibliche Fans an.

Allgemein ist die YOU BERLIN im Vergleich zum Vorjahr auf allen Gebieten gewachsen. „Der Schwerpunkt liegt auf dem Ausbildungsbereich, der dieses Jahr neu im Programm ist", so der Projektleiter der YOU BERLIN, Daniel Barkowski. „Sorge und Perspektivlosigkeit stehen bei den Jugendlichen stärker im Vordergrund als noch vor einigen Jahren. Das Angebot an Ausbildungsmöglichkeiten wird von den Jugendlichen gut angenommen. Hier sprach Barkowski von einem „positiven Feedback" und von erfolgreichen Ausstellern.

Besonders froh waren die Leiter der YOU BERLIN auch, dass es zu keinen Zwischenfällen kam. Strenge Sicherheitsmaßnahmen bereits vor dem Betreten der Halle seien schon deshalb unbedingt notwendig, weil es sich hier um Minderjährige handelt, meinten sie. Auch Massenhysterien bei Band-Auftritten, bei denen Fans oft in Ohnmacht fallen, gab es bisher nicht.

1 YoungPress ist
   a eine Messezeitschrift, die von jungen Journalisten gemacht wird.
   b eine Zeitschrift der Veranstalter der YOU.
   c eine Arbeitsgruppe für junge Journalisten, die die Pressemeldungen der YOU BERLIN erstellt.

2 Zur YOU BERLIN kamen bisher
   a 41 747 jugendliche Besucher.
   b mehr Besucher als im letzten Jahr.
   c insgesamt 5000 Jugendliche.

3 Die YOU BERLIN
   a wendet sich vor allem an weibliche Besucher.
   b veranstaltet spezielle Musikprogramme für 16-jährige Mädchen.
   c möchte Jugendliche bis ca. 21 Jahre ansprechen.

4 Neu an der YOU ist dieses Jahr,
   a dass Jugendliche sich über Berufe informieren können.
   b dass Jugendliche um ihre Zukunft besorgt sind.
   c dass die Aussteller so erfolgreich sind.

5 Am Eingang zur Ausstellung werden Kontrollen auch deshalb durchgeführt,
   a weil es sonst leicht zu Massenhysterie kommen kann.
   b damit die Fans nicht ohnmächtig werden.
   c weil man die Verantwortung für Minderjährige übernehmen muss.

b Welchen Eindruck hast du von der Jugendmesse bekommen? Nimm Stellung zu dieser Veranstaltung und dazu, ob sie deiner Meinung nach sinnvoll ist. Verwende dabei graduierende Adjektive.

absolut – **ausgesprochen** – **besonders** – **sehr** – **ziemlich** – **einigermaßen** – **etwa** – **gar nicht**

\+ … –

positiv	skeptisch	negativ
informativ ▪ Produkte kennenlernen ▪ Spaß machen ▪ Dinge ausprobieren können ▪ toll ▪ super ▪ interessant ▪ cool ▪ beeindruckend ▪ Leute kennenlernen ▪ ...	zwar informativ, aber auch sehr konsumorientiert ▪ einerseits ..., andererseits ...	nur konsumorientiert ▪ von der Werbung beeinflusst ▪ falsche Wertvorstellungen vermitteln ▪ diskriminierend für sozial schwächere Gruppen ▪ enttäuschend ▪ uninteressant ▪ langweilig ▪ abstoßend ▪ ...

Ich habe den Eindruck, dass ...
Ich meine/finde, ...
Meiner Meinung nach ...
Ich bin der Ansicht, dass ...
Ich halte ... für informativ, weil ...
Mir scheint, dass ... nur konsumorientiert ist
...

Also, ich finde einige Veranstaltungen absolut informativ. Zum Beispiel gibt es ...

A3 **Damit du nichts verpasst!**
Das passiert am Sonntag, den 28. Oktober.

10–13

a Hör das Veranstaltungsprogramm vom Sonntag und korrigiere die falschen Informationen. *(Es gibt 9 Korrekturen).*

Sonntag 28. Oktober

Uhrzeit	Programmpunkt	Wo?
10	Aktion GESUNDES FRÜHSTÜCK Unkostenbeitrag: 2 Euro	Frühstücks-Lounge in Halle 22 A
	HOT DRINKS – HOT STYLE heute mit Starfotograf Guido Karp, ganztägig	Halle 21 A
11	EURE IDEEN, EUER EVENT Waterjump und Breakdance	Halle 25
12	BUTTER AND CREAM Signierstunde mit Fahr Sindram bis 17 Uhr	Halle 20, Stand 205
13	JETIX AWARDS	Halle 23 A
	FUTSAL Freestyle und Show	Halle 23 B, Stand 200
14	MEET & GREET mit deinen Stars	Halle 21 A, Stand 500
	BODYPAINTING EVENT bis 18 Uhr	wird noch bekannt gegeben
15	SCHÜLER-POETRY-SLAM	Halle 20, Stand 230
	FUTSAL, Freestyle und Show 15:30 Uhr	Halle 23 B, Stand 200
16	FUTSAL, Freestyle und Show	Halle 23 B, Stand 200
17	FUTSAL, Freestyle und Show Finale 17:30	Halle 23 B, Stand 200

PROGRAMM

b Hör die Durchsage noch einmal und notiere weitere Informationen zu den Veranstaltungen.

B Werbung und Konsum

B1 Bedürfnisse wecken statt Bedürfnisse decken?

a Lest die Überschrift und die beiden Aussagen unten, und macht euch mit einem Partner Gedanken darüber, was sie mit dem Thema „Jugend, Werbung und Konsum" zu tun haben könnten.

„Wenn wir nur dann in Geschäfte gingen, wenn wir tatsächlich etwas einkaufen müssen, und wenn wir nur das kaufen würden, was wir wirklich brauchen, würde die Wirtschaft zusammenbrechen."
Aus: Paco Underhill, Psychologie des Konsums

„Wenn du ein Schiff bauen willst, dann rufe die Menschen zusammen, nicht um Pläne zu machen und Holz zu bearbeiten, sondern lehre sie die Sehnsucht nach dem weiten, unendlichen Meer."
Antoine de Saint Exupéry

eventuell / vielleicht / vermutlich / wahrscheinlich
Es könnte sein, dass ...
Das dürfte bedeuten, dass ...
Ich kann mir gut vorstellen, dass ...
Ich glaube, dass ...

Hörtipp
Es ist wichtig, die Aufgaben vor dem Hören genau zu lesen. Dann kennst du das Thema und kannst dir vorstellen, was du ungefähr hören wirst.

b Hör das folgende Interview, das ein Journalist der YoungPress mit dem Soziologen Tobias Lehmann geführt hat und löse die Aufgaben.

1 Wodurch wird das Konsumverhalten von Kindern und Jugendlichen zunehmend beeinflusst?
   a Von den wirtschaftlichen Möglichkeiten der Eltern.
   b Von den Wertvorstellungen, die die Schule vermittelt.
   c Von der Wirtschaft.

2 Warum ist die Zielgruppe Kinder und Jugendliche für die Wirtschaft interessant?
   a Weil sie 8 Millionen Euro ausgeben können.
   b Weil sie über mehr Geld verfügen als ihre Eltern.
   c Weil sie voraussichtlich noch viele Jahre konsumieren werden.

3 Um welche Altersgruppe bemüht sich die Wirtschaft besonders?
   a Um die Jugendlichen bis 19 Jahre.
   b Um Kinder bis 10.
   c Um die Erwachsenen.

4 Welche Rolle kann Konsum für Jugendliche spielen?
   a Sie wollen das Interesse ihrer Eltern wecken.
   b Sie wollen Enttäuschungen des Alltags vergessen.
   c Sie wollen ihren Eltern zeigen, dass sie Erfolg haben.

5 Warum sind junge Leute schon in frühem Alter Ziel der Werbung?
   a Weil junge Leute mit 18 schon wissen, welche Marken ihnen nicht gefallen.
   b Weil viele Jugendliche sich schon mit 14 für bestimmte Marken entscheiden.
   c Weil junge Leute mit 25 weniger Geld für Produkte ausgeben.

6 Warum spielt „Erlebnisshopping" eine große Rolle?
   a Man hat Spaß, während man einkauft.
   b Man kauft etwas, was man gerade dringend braucht.
   c Man fühlt sich gut, wenn man Kontakt zu anderen hat.

7 Welche Rolle spielt in diesem Zusammenhang die Marke eines Produkts?
   a Sie kann unsere Probleme lösen.
   b Man hat mehr Spaß, wenn man Markenprodukte kauft.
   c Mit einer bestimmten Marke verbindet man auch bestimmte positive Emotionen.

B2 Werbung: Pro und Kontra

Wählt zu zweit eins der Statements aus und sammelt Argumente dafür oder dagegen. Diskutiert dann in der Klasse darüber.

Mir fällt die Entscheidung, welches Produkt ich kaufen möchte, nicht schwer, auch ohne Information durch die Werbung. Die Werbung schafft nur zusätzliche Bedürfnisse.

Ohne Werbung und Sponsoring gäbe es keinen Leistungssport.

Wir brauchen die Werbung, um die Produkte kennenzulernen und leichter zu entscheiden, ob einem etwas gefällt oder nicht.

Mir geht die viele Werbung auf die Nerven.

Viele genießen Werbung, weil sie oft intelligent gemacht ist, ohne dass sie sich in ihren Kaufentscheidungen davon beeinflussen lassen.

Die Werbung will einen nur emotional ansprechen, statt ein Produkt wirklich mit all seinen Vor- und Nachteilen zu beschreiben.

Die Werbung beeinflusst uns, damit wir das Einkaufen als Unterhaltung und Vergnügen betrachten.

GR1 Finale Angaben (Zweck, Ziel)

zum/zur: Präposition + Nomen
Industrie und Handel brauchen die Werbung **zum** besseren **Verkauf** ihrer Produkte.
■ *zu* + Dativ; Verb wird Nomen: *verkaufen* → *der Verkauf*

Satz mit Konjunktion und Verb

damit
Die Werbung beeinflusst uns, **damit** *wir* das Einkaufen als Unterhaltung und Vergnügen betrachten.
■ Subjekt in Haupt- und Nebensatz unterschiedlich

um ... zu
Wir brauchen die Werbung, **um** die Produkte kennen**zu**lernen.
(= *Wir* brauchen die Werbung, **damit** *wir* die Produkte kennenlernen.)
■ Subjekt in Haupt- und Nebensatz gleich

GR2 *ohne ... zu / ohne dass / ohne* und *statt ... zu / statt dass / statt*

Viele genießen gut gemachte Werbung ...
, **ohne** sich in ihren Kaufentscheidungen beeinflussen **zu** lassen.
, **ohne dass** sie sich in ihren Kaufentscheidungen davon beeinflussen lassen.
ohne Beeinflussung ihrer Kaufentscheidung.

Die Werbung präsentiert Texte und Bilder, die einen nur emotional ansprechen ...
, **statt** ein Produkt wirklich **zu** beschreiben.
, **statt dass** sie ein Produkt wirklich beschreibt.
statt einer wirklichen Produktbeschreibung.

C Knete, Kohle, Mäuse – Jugendliche in der Schuldenfalle

C1 Konsum ist klasse!

a Ein altes Sprichwort heißt: „Haste was, dann biste was …"
Überlegt euch in Partnerarbeit, was damit gemeint ist, und nehmt Stellung zu dieser Aussage.

b Lies den Text und mach Notizen zu den drei Punkten:

- Gründe für den hohen Konsum
- Vorgehen der Werbung
- Höhe der Verschuldung

Ausgaben für:

1 Bekleidung
2 ______
3 ______
4 Musik
5 ______
6 ______
7 ______
8 ______
9 Computer
10 ______

Ergänze dann die kleine Tabelle (oben) in deinem Heft. Sie zeigt eine Rangliste der Dinge, für die Jugendliche am meisten Geld ausgeben.

Deutsche Teenies sind im Kaufrausch! Allein im letzten Jahr wurden Waren im Wert von rund 19,8 Milliarden Euro verkauft. Das sind 16 Prozent mehr als im Jahr zuvor.

Besonders die Kosten fürs Handy belasten den Geldbeutel vieler Jugendlicher: insgesamt 2,4 Milliarden Euro. Allein 190 Millionen Euro davon erhielten die verschiedenen Klingeltonanbieter.

Spitzenreiter unter den Ausgaben ist der Bekleidungssektor: 3,4 Milliarden Euro zahlten die Teenies für die schicksten Jeans, den hippsten Pullover oder die coolsten Turnschuhe. Dazu kamen 2,3 Milliarden Euro für Disco- oder Barbesuche. Die Plätze vier bis neun belegten Musik, Getränke, Eintrittskarten, Imbissbuden/Fast Food, Körperpflege/Kosmetik und der Computer. Erst dann, auf Platz zehn, finden sich mit 880 Millionen Euro die Ausgaben fürs eigene Hobby.

Deutsche Teenies sind im Geldrausch! Viele von ihnen haben ihr Kaufverhalten nicht mehr unter Kontrolle. Um herauszufinden, was in erster Linie dafür verantwortlich ist, wurden mehrere wissenschaftliche Untersuchungen durchgeführt, die zu unterschiedlichen Ergebnissen kommen. Den Hauptgrund für den zunehmenden Konsum sieht man in der Werbung. Auf Schritt und Tritt verfolgt sie jeden von uns und erreicht uns beim Fernsehen, beim

Radiohören, wenn wir Zeitschriften durchblättern, an der Litfasssäule oder als Werbebanner oder als Pop-up im Internet. Dargestellt wird meist die heile Welt, in der man gerne leben würde. Die Vorstellung, dass der Kauf sozusagen alle Probleme löst, sorgt für den nötigen Kaufanreiz und das Gefühl, selbst an dieser idealen Welt teilhaben zu können. Ewig schön, ewig jung, ewig gesund.

Aber auch Frust, das Streben nach Anerkennung oder starker Gruppenzwang führen zu gesteigertem Kaufverhalten. Wer hat nicht schon mal nach einer schlechten Mathearbeit aus Frust einen Einkauf getätigt oder sich umgekehrt für eine gute Zensur belohnt? Dagegen ist nichts einzuwenden. Problematisch wird es, wenn schlechte Noten das eigene Selbstwertgefühl zerstören und wenn man es dann mit dem Kauf von Statussymbolen wieder aufbauen möchte. Ganz nach dem alten Sprichwort: „Haste was, dann biste was ..."

Apropos „Kaufen": Derzeit kaufen die Jugendlichen deutlich mehr, als sie Geld zur Verfügung haben. So standen

den Ausgaben in Höhe von 19,8 Milliarden Euro im vergangenen Jahr nur 18,4 Milliarden „Einnahmen" gegenüber. Also wird das Sparbuch geplündert, und so sind die Sparreserven ganz schnell aufgebraucht. Spätestens bei der nächsten hohen Handyrechnung tappen die Jugendlichen in die Schuldenfalle, von der immer mehr junge Leute betroffen sind.

Im vergangenen Jahr war fast jeder fünfte Jugendliche im Alter zwischen 13 und 17 Jahren verschuldet. Durchschnittlich mit 370 Euro.

c Gib mithilfe deiner Notizen und der Redemittel unten den Inhalt des Textes wieder.

ausgeben für ... / unbedingt ... kaufen wollen / nicht verzichten wollen auf ...
locken mit ... / ... ansprechen / zum Kauf verführen
schuld sein an ... / verantwortlich sein für ... / führen zu ... / ... verursachen
... betragen / sich belaufen auf ...

d Gibt es das Problem „überhöhter Konsum" auch in eurem Land?
Nenne Beispiele für Gruppenzwang und Frustkäufe.

C2 Wie komme ich aus der Schuldenfalle raus?

Es gibt Beratungsstellen, bei denen sich verschuldete Jugendliche und Erwachsene beraten lassen können, wie sie aus der Schuldenfalle rauskommen.

17–19

a Hör das Gespräch mit einer Schuldnerberaterin und entscheide, welche Aussagen richtig bzw. falsch sind. Hör das Gespräch noch einmal und korrigiere die falschen Aussagen.

1 Die Beraterin hilft jungen Leuten dabei, weniger Schulden zu machen.

2 Die Konsumwünsche von Jugendlichen und Erwachsenen sind ziemlich ähnlich.

3 Jugendliche kaufen oft Dinge, ohne zu überlegen, wie viel Geld sie eigentlich haben.

4 Durch Nebenjobs und hohes Taschengeld haben Jugendliche oft genauso viel Geld zur Verfügung wie Erwachsene.

5 Wenn Kinder und Jugendliche sich verschulden, können sie einen Jugendkredit aufnehmen.

6 Die meisten Leute, die zur Schuldnerberatung gehen, sind volljährig.

7 Eltern wollen die Schulden ihrer Kinder gewöhnlich nicht bezahlen.

8 Wenn die Jugendlichen zur Beratung gehen, haben sie meistens schon sehr hohe Schulden, die ihre Eltern nicht bezahlen können.

9 Die Beratungsstelle und der Jugendliche überlegen zusammen, wie man besser mit Geld umgehen kann.

10 In besonders schwierigen Fällen verhandelt die Beratungsstelle mit den Gläubigern.

11 Verschuldete Jugendliche müssen oft sogar ihre Berufsausbildung abbrechen, um ihre Schulden bezahlen zu können.

12 Manchmal kann es viele Jahre dauern, bis alle Schulden zurückgezahlt sind.

b Wie findest du die Möglichkeit, zu einer Schuldnerberatung zu gehen?

c Macht ein Rollenspiel zwischen einem Berater und einem Jugendlichen. Notiert zuerst in Partnerarbeit, welche Fragen der Jugendliche stellen könnte.

D Taschengeld

Wie viel Taschengeld brauchen Kinder und Jugendliche?

Ein unbeliebtes Thema auch bei dir zu Hause? Andere sparen es monatelang, andere geben es aus, sobald sie es bekommen haben, und sind ständig der Ansicht, dass sie einfach zu wenig bekommen. Aber wie viel Taschengeld ist eigentlich normal? Mit dieser Frage hat sich auch der Deutsche Kinderschutzbund beschäftigt und hat eine Empfehlung ausgesprochen. Für welches Alter ist wie viel Taschengeld üblich?

a Lies den Text und ergänze die Tabelle in deinem Heft.

Alter	Betrag	wöchentlich/monatlich
unter 6	0,50 Euro	wöchentlich
6–7	1–2 Euro	wöchentlich
8–9	2–3 Euro	wöchentlich
10–11	______	______
12–13	______	______
14–15	______	______
16–17	______	

Bis zur 2. oder 3. Klasse der Grundschule sollten die Kinder wöchentlich Taschengeld bekommen. In diesem Alter sollen sie erst für kleinere Zeiträume planen. Vom 10. Lebens- 5 jahr an haben die Kinder vielfältigere Bedürfnisse. Sie bekommen das Taschengeld jetzt einmal monatlich. Der Betrag ist deshalb auch deutlich höher als vorher, nämlich das Fünffache der Summe für 8- bis 9-Jährige. Dann er- 10 höht sich der Betrag alle 2 Jahre um 5 Euro bis zum Alter von 16–17 Jahren. Hier öffnet sich die Schere nach oben hin und erreicht 50 Euro.

b Wie ist es in eurem Heimatland? Bekommen Kinder und Jugendliche Taschengeld? Wenn ja, wie viel? Vergleicht mit den Angaben in a.

c Woher bekommst du Geld (Taschengeld, zum Geburtstag, bei Bedarf usw.) und was kaufst du dir damit? Notiert und sprecht darüber in der Klasse.

Geldquelle	*Betrag*
Taschengeld	
Geburtstag	
Weihnachten	
Gute Noten	
Nebenjobs	
Anderes	
Summe der Einnahmen	

Ausgaben für ...	*Betrag*
Handy	
Kino	
...	

d Tipps für den Umgang mit deinem Geld
Lies die folgenden Ratschläge. Welchen findest du am sinnvollsten?
Sprecht darüber in der Klasse.

- Vor einer größeren Anschaffung genau überlegen, ob und in welchem Umfang der Kauf nötig ist. Gegebenenfalls mit Eltern oder Freunden darüber reden, was richtig ist.
- Warum kein „Haushaltsbuch" führen? Wenn du z. B. auf der linken Seite notierst, wie viel Geld du zur Verfügung hast, und rechts, wie viel Geld du ausgegeben hast, siehst du auf diese Weise jeden Tag ganz genau, welche Ausgaben welchen Einnahmen gegenüberstehen und welche Ausgaben vielleicht nicht nötig gewesen wären.
- Leih dir möglichst nur dann Geld von anderen, wenn du mal den Geldbeutel oder das Pausenbrot vergessen hast. Wer sich ständig Geld leiht, verliert immer mehr den Überblick, wie viel Geld er in Wirklichkeit zur Verfügung hat.
- Wenn du generell schlecht mit Geld umgehen kannst, solltest du mal Taschengeld „in Raten" ausprobieren. Das ist natürlich auf Dauer keine Lösung, aber man bekommt einen Überblick, wie viel Geld man in einer Woche braucht.
- Vielleicht ist die finanzielle Situation deiner Eltern nicht so gut und das Wort „Taschengeld" ist ein Fremdwort für dich. Dann könntest du dir einen Neben- oder Ferienjob suchen. Geld selbst zu verdienen verhilft sicher zu einem besseren Umgang damit!

GR3

Formen der Aufforderung

1 **Konjunktiv II**
Man könnte sich einen Nebenjob suchen.
Man sollte Taschengeld „in Raten" ausprobieren.

2 **Infinitiv**
Vor einer größeren Anschaffung genau überlegen, ob der Kauf nötig ist.

3 **Imperativ**
Leih dir möglichst nur dann Geld von anderen, wenn du mal den Geldbeutel vergessen hast.

4 **Frage**
Warum kein „Haushaltsbuch" führen?

e Rollenspiel: Ihr möchtet bestimmte Dinge von anderen Mitgliedern der Familie. Ihr versucht, das in einem Gespräch sowohl mit Forderungen als auch mit Überredungskunst zu erreichen.

Wählt in Partnerarbeit eine Situation aus und schreibt ein Rollenspiel, in dem ihr Aufforderungen formuliert, ohne den Gesprächspartner vor den Kopf zu stoßen.

- Du möchtest Freunde einladen und versuchst deine Eltern davon zu überzeugen, dass sie in der Zeit nicht zu Hause sind.
- Du willst mehr Taschengeld.
- Du willst dir von deinem Bruder/deiner Schwester sein/ihr Motorrad ausleihen.
- Du möchtest endlich mal mit deinen Freunden in Ferien fahren.

Lesen und hören – echt spannend!

Welche Arten von Büchern gefallen euch?

Seht euch die Grafiken an und beantwortet die Fragen. Sprecht darüber in der Klasse.

- Wozu werden Bücher gekauft? Was sind die wichtigsten Anlässe?
- Für wen kauft man Bücher? Beschreibe die Unterschiede in den verschiedenen Altersgruppen.
- Wie unterscheidet sich das Leseinteresse von Mädchen und Jungen?

Was findet ihr an den Grafiken noch interessant?

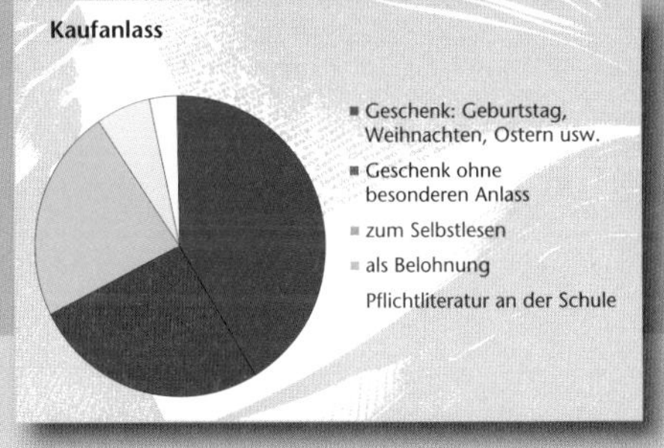

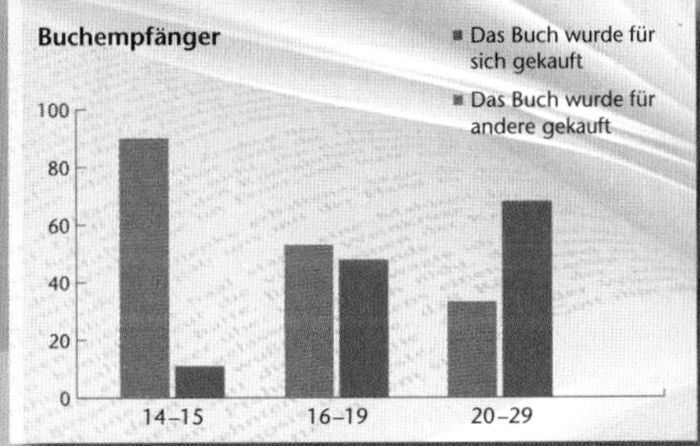

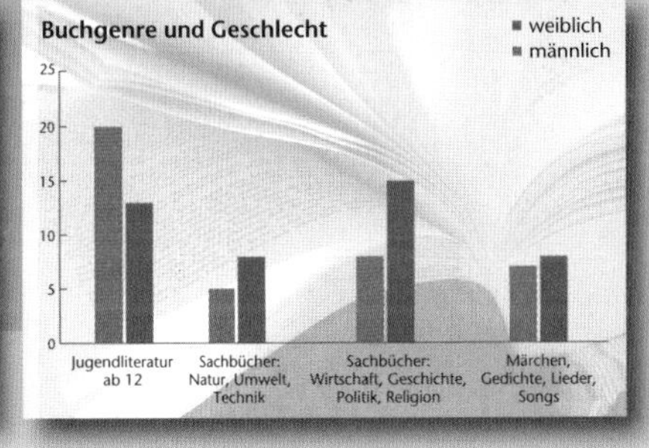

A Lesen

A1 Fragebogen: Wie ist es bei dir mit dem Lesen?

a Was trifft auf dich zu? Schreibe die Antworten in dein Heft.

1 Ich lese ...
a sehr gern.
b gern.
c nicht so gern.
d gar nicht.

2 Ich lese ...
a einmal pro Woche.
b jeden Tag oder mehrmals in der Woche.
c nur manchmal.
d nie.

3 Gewöhnlich lese ich ...
a nach dem Mittagessen.
b vor dem Schlafengehen.
c am Wochenende.
d in den Ferien.

4 Ich habe zu Hause ...
a keine Bücher.
b weniger als 10 Bücher.
c 10 bis 20 Bücher.
d mehr als 20 Bücher.

5 Besonders gern lese ich ...
a Comics.
b Krimis.
c Fantasyromane.
d Liebesgeschichten.
e Grusel- und Horrorgeschichten.
f Sachbücher über Natur und Tiere.
g Sachbücher über Technik.
h andere ...

6 Ich gehe ... in die Bücherei, um zu lesen oder Bücher auszuleihen.
a oft
b manchmal
c selten
d nie

7 Ich lese nicht öfter, weil ich ...
a zu viel für die Schule zu tun habe.
b andere Hobbys habe.
c lesen langweilig finde.
d nicht weiß, was ich lesen soll.
e andere Gründe habe: ...

b Macht aus all euren Antworten eine Statistik und sprecht darüber in der Klasse.

Was findet ihr interessant?
Was habt ihr erwartet?
Gibt es etwas, was euch überrascht hat?

Für mich ist interessant, dass ...
Mich hat überrascht, dass ...
Ich hätte nicht erwartet/gedacht, dass ...
Ich finde es ungewöhnlich, dass ...

A2 Lesen – warum? Junge Kritiker zum Thema

a Lies, was die Sieger eines Kritikerwettbewerbs auf folgende Fragen geantwortet haben.

1 Warum sollte man Bücher lesen?
2 Was zeichnet ein gutes Buch aus?
3 Wie sollte man lesen?
4 Wo sollte man lesen?
5 Welcher deutsche Schriftsteller hat Jugendlichen etwas zu sagen?

	Niklas, 19 Abiturient	Christian, 19 Student	Lena, 18 Schülerin
1	Es gibt tausend Gründe, z. B. Lesen bildet, Lesen macht Spaß, Lesen regt die Fantasie an. Ich habe durch das Lesen von Büchern das Schreiben gelernt. Für ausländische Leser gibt es keine bessere Möglichkeit, eine andere Sprache zu lernen.	Ich finde, dass es sehr nützlich ist, Bücher zu lesen. Es wird gleichzeitig die Fantasie gefördert und der Verstand angesprochen – viel mehr als durch das Fernsehen. Wenn man liest, kann man seine eigene Welt erschaffen.	Weil man durch Bücher in eine ganz andere Welt eintauchen kann, die man sonst nicht sehen kann.
2	Ein gutes Buch will man nicht mehr aus der Hand legen. Es fesselt einen bis zum Schluss.	Eine gut erzählte Geschichte ist das Wichtigste. Noch besser, wenn sie mit stilistischen Mitteln ausgeschmückt ist. Ich finde auch neue Ideen wichtig: Dinge, die einen überraschen.	Mir kommt es darauf an, dass eine Geschichte etwas hat, was einen fesselt: einen besonderen Charakter zum Beispiel oder ein ungewöhnliches Ereignis.
3	Ich kenne zwei Möglichkeiten. Die eine: Man nimmt ein Buch in die Hand, liest es einfach durch und vergisst die Geschichte vielleicht irgendwann. Die andere: Man durchsucht das Buch und schaut nach, was dahintersteckt. Jeder muss für sich entscheiden, wie er ein Buch bearbeiten will.	Man sollte sich viel Zeit nehmen – für jede einzelne Seite. Beim schnellen Lesen übersieht man zu viel.	Es hängt vom Buch ab. Manche Bücher kann man in einem durchlesen, bei anderen muss man zwischendurch Pausen machen.
4	Es braucht nicht nur in der Schule zu sein! Ich lese oft an meinem Schreibtisch oder im Bett.	Ich lese im Moment meistens im Zug, da habe ich die meiste Zeit. Zu Hause setze ich mich zum Lesen in einen gemütlichen Sessel – ohne Dinge, die stören.	Ich lese in der Schule, wenn ich eine Freistunde habe. Ich lese auch in der Bücherei und viel zu Hause. Am liebsten liege ich beim Lesen im Bett.
5	Klaus Kordon. Er versteht es wie kein anderer, deutsche Geschichte zu erzählen.	Heinrich Heine. Ich finde ihn auch für Jugendliche genial. Bis heute ist er ein moderner Klassiker.	Michael Ende. Besonders das Buch „Der Spiegel im Spiegel" hat mir gut gefallen. Es hat sehr schöne Metaphern, die auch Jugendliche ansprechen.

b Zu wem passen diese Aussagen? (Mehrere Lösungen sind möglich.)

1. Ein gutes Buch ist so interessant, dass man es sofort ganz lesen möchte.
2. Wenn ein Buch gut geschrieben ist, sollte man es sorgfältig lesen.
3. Lesen ist das beste Mittel, eine fremde Sprache zu lernen.
4. Eine gute Geschichte muss von außergewöhnlichen Dingen erzählen.
5. Man kann auch in der Schule lesen.
6. Es gibt verschiedene Möglichkeiten, ein Buch zu lesen.
7. Es gibt Bücher, die man nicht an einem Stück lesen kann.
8. Ich lese gern an einem Ort, wo ich Ruhe habe.

c Was würdest du auf die Fragen in a antworten?

Auf die Frage, warum man Bücher lesen sollte, würde ich antworten, ...
Man sollte Bücher lesen, weil ...
Ich finde es wichtig, Bücher zu lesen, weil ...

GR1 es (Verwendung)

1 als Teil eines Ausdrucks (obligatorisch)
Es hängt vom Buch ab.
Es gibt tausend Gründe.
- Es gehört zum Ausdruck, man kann es nicht weglassen.

2 als Pronomen
Es fesselt einen bis zum Schluss.
Es braucht nicht nur in der Schule zu sein.
- Es steht für Ausdrücke, Sätze oder Sachverhalte.

3 als Platzhalter
Es wird die Fantasie gefördert.
- Es steht in der Position vor dem Verb. Wenn dort ein anderer Ausdruck steht, fällt es weg: *Die Fantasie wird gefördert.*

d Suche noch mehr Beispiele von „es" in den Aussagen der Jugendlichen und ordne sie den entsprechenden Kategorien zu.

B

Jugendbücher

B1

Was Jugendliche lesen

a Welche der abgebildeten sieben Bücher würdest du gerne lesen? Wechen Inhalt erwartest du aufgrund des Titelbilds?

b Die folgenden Texte stehen auf der Rückseite der Bücher. Sie beschreiben, worum es geht und wollen Appetit auf die Bücher machen.
Lies die Texte. Markiere maximal zwei Begriffe oder Wortgruppen, die den Inhalt beschreiben und ordne die Texte den Buchtiteln zu.
Vergleiche die Texte mit deinen Vermutungen aus a über den jeweiligen Inhalt.

A Eben noch lag Nick am Strand der Ägäis, jetzt hat ihn der graue Alltag wieder. Doch das neue Schuljahr soll anders werden, denn Nick hat sich von Sabrina getrennt und fühlt sich frei für neue Erfahrungen: für Lea, für Rike oder doch für Penny alias Penelope, die Neue in der Klasse?

B Ich war Heimkind, Prostituierte, Drogenabhängige. Zu allem Überfluss bin ich HIV-infiziert. Aber trotz allem bin ich ein Mensch und mit diesem Buch will ich eine Erfahrung weitergeben: Drogen sind niemals ein Ausweg aus Schwierigkeiten. Wer Drogen nimmt, um vor der Wirklichkeit zu fliehen, verliert den Kampf mit sich selbst.

C Nele ist in Oliver, einen Typ aus ihrer Klasse verliebt, aber der scheint das absolut nicht zu merken. Das ist aber nicht ihr einziges Problem. Seit Jakob geboren wurde, ist zu Hause nichts mehr wie früher. Mama und Papa haben die Rollen getauscht und Nele findet das richtig peinlich. Berufstätige Mütter gibt es zwar auch in anderen Familien, aber Väter, die den Haushalt machen?

D Wir waren Freunde: Andy, Herbert und ich. Es war kurz vor den großen Ferien. Wir saßen auf dem Dach unseres Hauses in der Sonne und paukten. Wir hatten es nötig. Da kam dieses Mädchen. Sie hieß Inga, war drogenabhängig und zog in das Haus gegenüber. Andy sah Inga, lernte nicht mehr, blieb sitzen und verschwand. Und mit ihm Inga.

E Erik macht nach dem Abitur eine Lehre als Versicherungskaufmann und findet das Leben ziemlich langweilig. Bis ihm eines Tages ein Vertrag für eine Boygroup angeboten wird. Er hofft auf eine rasante Musikerkarriere und unterschreibt. Bald ist er ständig im Studio oder zu Musikveranstaltungen unterwegs. Das ist nicht das sorglose Leben, von dem er immer geträumt hat ...

F ... [ihr] größter Wunsch ist, lesen und schreiben zu lernen. Doch die einzige Schule ist auf der anderen Seite des Mekong-Deltas. „Manchen Träumen muss man eben etwas nachhelfen", sagt ihr Onkel. Der Autor erzählt von den Menschen, die ihr vom Krieg zerstörtes Land wieder aufbauen – von ihrem Land, aber auch von ihren Träumen, ihrer Hoffnung und Zuversicht.

G Kiki hat Angst: vor dem geregelten Leben, wie ihre Eltern es führen, vor dem selbst verdienten Geld oder der Einbauküche später, wenn sie Hausfrau ist und vielleicht Ehefrau von Rollo, dem guten, anständigen Jungen, auf den eine Laufbahn als Beamter wartet. Kiki will mehr, will ihr Leben selbst bestimmen. Sie will alles anders machen.

c Berichte über ein Buch, das du gut kennst und das dir gut gefällt. Benutze dazu die Redemittel in dem Kasten.

Titel	Der Titel des Buches ist ... Das Buch heißt ...
Autor/Autorin	Der Autor/Die Autorin ist/heißt ... ... hat das Buch geschrieben.
Verlag, Erscheinungsjahr	Das Buch ist bei ... erschienen. Der ... Verlag hat das Buch ... veröffentlicht.
Inhaltsangabe	Wer? Was passiert? Wo? Wann? Warum? Im Buch geht es um ... Das Buch handelt von ... Die Hauptpersonen sind ... Die Geschichte spielt in ... Am Anfang / am Ende In der Zwischenzeit
Bewertung	Mir hat besonders gefallen, dass ... Am meisten hat mich ... beeindruckt. Weniger gut fand ich ... Ich kann das Buch wirklich sehr empfehlen.

B2 Interview mit einer Jugendbuchautorin

Nicole Meister hat mit 17 Jahren ihr erstes Buch geschrieben, als sie selbst noch zur Schule ging. Es heißt „Moons Geschichte" und wurde gleich ein großer Erfolg (s. AusBlick Bd.1, S. 88f.).

20–29

a Höre das Interview mit Nicole Meister. Du hörst aber nur ihre Antworten. Welche Fragen könnte ihr der Journalist gestellt haben? Bei einigen Fragen hilft dir der Notizzettel des Reporters.

Donnerstag, 16:30
Interviewtermin mit Nicole Meister

Jetzige Tätigkeit?
Weitere Jugendbücher?
Pläne für die nächste Zeit?
Tantiemen?

b Höre das Interview noch einmal und notiere Nicole Meisters Antworten stichpunktartig. Sprecht in der Klasse darüber.

C Hörbücher

C1 Hört, hört!

Lies den Text und löse die Aufgaben.

Das Hörbuch ist in Deutschland ein Medium im Trend. Es verzeichnet zweistellige Zuwachsraten.

Breites Angebot

Ob Romane, Krimis, Fantasy oder Satire – das Angebot für Liebhaber „hörbarer Literatur" auf CD (compact disc) oder MC (Musikkassette) ist groß: Die Schriftstellerin Mirjam Pressler liest für den Hörverlag aus ihrem Jugendroman „Novemberkatzen". Das Ensemble „Duo Pianoworte" vertonte für 5 Random House Audio Kindergeschichten von Rafik Schami. Der Schauspieler Manfred Krug trägt für den Audio Verlag Bertolt Brecht vor. Die Deutsche Grammophon Literatur hat viele Klassiker wie Gottfried Benn, Thomas Mann oder Marie Luise Kaschnitz in ihrem Programm.

Hörbücher im Deutschunterricht

Im fremdsprachlichen Deutschunterricht sind Hörbücher – in Auszügen – mehr als eine sinnvolle Er-10 gänzung. Mit ihnen kommt authentische, gesprochene Sprache in die Klasse (oder nach Hause), mit der das Hörverständnis geschult wird. Außerdem vermitteln die Lesungen ein Gefühl für Aussprache, Tempo und Betonung von Texten. Musik und Hintergrundgeräusche auf einigen Produktionen machen die Hörbücher spannender und können die Schüler auf Ideen für eigene Produktionen bringen.

1 Hörbücher werden in Deutschland …
a immer beliebter.
b immer teurer.
c immer seltener.

2 Inzwischen wird fast jede Art Literatur …
a in Deutschland produziert.
b von den Autoren vertont.
c auch als Hörbücher angeboten.

3 Hörbücher tragen dazu bei, dass …
a die Schüler lieber Deutsch lernen.
b in der Klasse mehr gesprochen wird.
c das Hörverstehen trainiert wird.

C2 Bitterschokolade

a Hör einen Ausschnitt aus dem Hörbuch „Bitterschokolade".

b Der Zeichner hat versucht, die Szene auf dem Bahnhof darzustellen. Dabei hat er 11 Fehler gemacht. Hör den Buchausschnitt noch einmal und suche die Fehler.

c Hör den Ausschnitt noch einmal und berichte mithilfe der Fragen über den Inhalt.

- Welche Familienmitglieder kennt Eva? Welche Beziehung hat sie zu ihnen, was glaubst du?
- Welche Gefühle hat sie wohl für Michel?
- Eva vergleicht Michels Familie und den Umgang der Familienmitglieder miteinander mit ihrer eigenen Familie. Was fällt ihr dabei auf?

C3 Was haltet ihr von Hörbüchern?

a Lies die Beiträge der Jugendlichen in einem Internetforum und berichte:

... findet Hörbücher gut, weil ...
... ist für Hörbücher, denn ...
... möchte gern eine Textstelle zweimal hören. Deshalb ist sie/er von Hörbüchern begeistert.
... ist gegen Hörbücher, weil ...
An Hörbüchern stört sie/ihn, dass ...

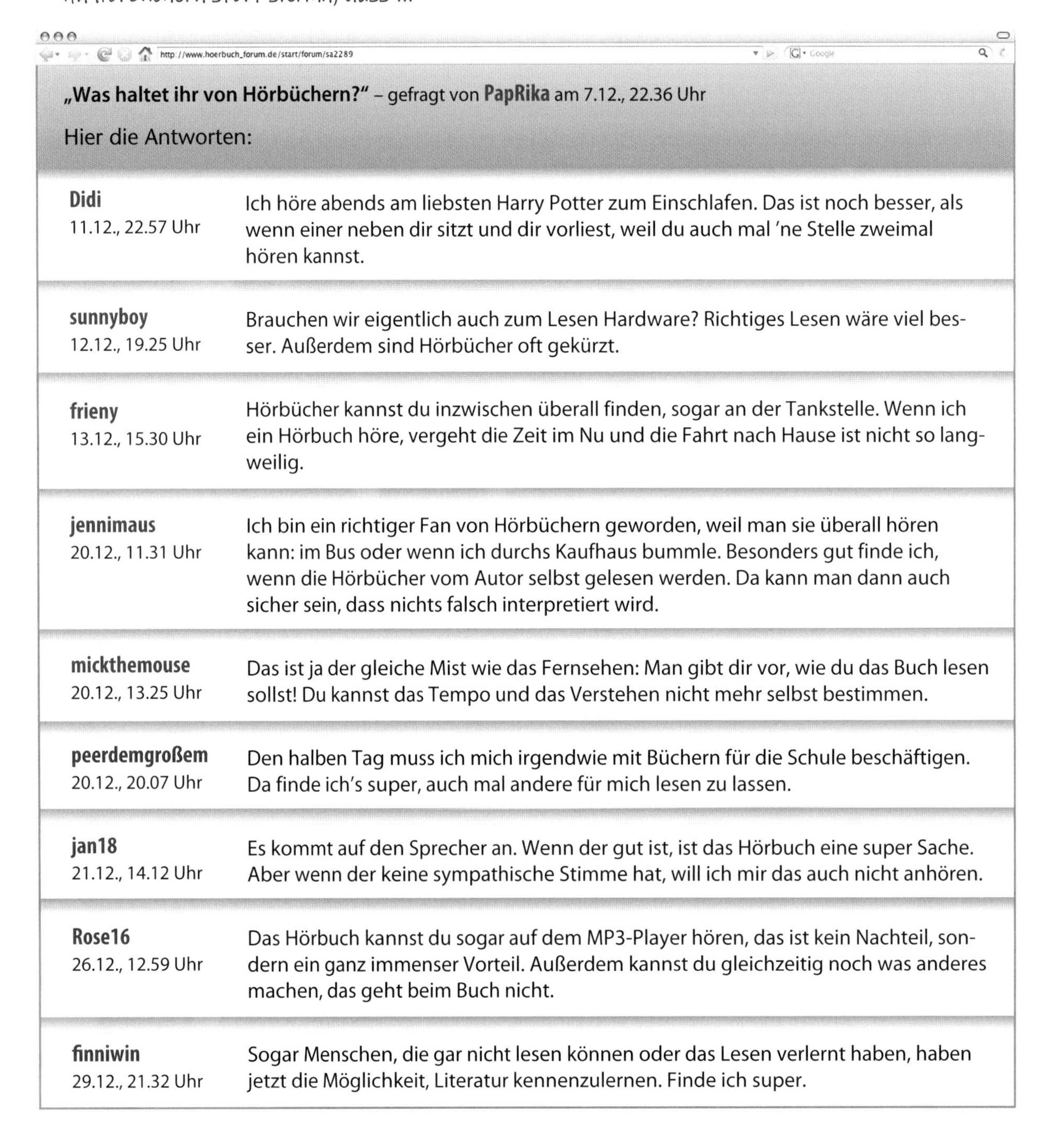
http://www.hoerbuch_forum.de/start/forum/sa2289

„Was haltet ihr von Hörbüchern?" – gefragt von **PapRika** am 7.12., 22.36 Uhr

Hier die Antworten:

Didi 11.12., 22.57 Uhr	Ich höre abends am liebsten Harry Potter zum Einschlafen. Das ist noch besser, als wenn einer neben dir sitzt und dir vorliest, weil du auch mal 'ne Stelle zweimal hören kannst.
sunnyboy 12.12., 19.25 Uhr	Brauchen wir eigentlich auch zum Lesen Hardware? Richtiges Lesen wäre viel besser. Außerdem sind Hörbücher oft gekürzt.
frieny 13.12., 15.30 Uhr	Hörbücher kannst du inzwischen überall finden, sogar an der Tankstelle. Wenn ich ein Hörbuch höre, vergeht die Zeit im Nu und die Fahrt nach Hause ist nicht so langweilig.
jennimaus 20.12., 11.31 Uhr	Ich bin ein richtiger Fan von Hörbüchern geworden, weil man sie überall hören kann: im Bus oder wenn ich durchs Kaufhaus bummle. Besonders gut finde ich, wenn die Hörbücher vom Autor selbst gelesen werden. Da kann man dann auch sicher sein, dass nichts falsch interpretiert wird.
mickthemouse 20.12., 13.25 Uhr	Das ist ja der gleiche Mist wie das Fernsehen: Man gibt dir vor, wie du das Buch lesen sollst! Du kannst das Tempo und das Verstehen nicht mehr selbst bestimmen.
peerdemgroßem 20.12., 20.07 Uhr	Den halben Tag muss ich mich irgendwie mit Büchern für die Schule beschäftigen. Da finde ich's super, auch mal andere für mich lesen zu lassen.
jan18 21.12., 14.12 Uhr	Es kommt auf den Sprecher an. Wenn der gut ist, ist das Hörbuch eine super Sache. Aber wenn der keine sympathische Stimme hat, will ich mir das auch nicht anhören.
Rose16 26.12., 12.59 Uhr	Das Hörbuch kannst du sogar auf dem MP3-Player hören, das ist kein Nachteil, sondern ein ganz immenser Vorteil. Außerdem kannst du gleichzeitig noch was anderes machen, das geht beim Buch nicht.
finniwin 29.12., 21.32 Uhr	Sogar Menschen, die gar nicht lesen können oder das Lesen verlernt haben, haben jetzt die Möglichkeit, Literatur kennenzulernen. Finde ich super.

b Welches Argument möchtest du besonders unterstützen? Schreib selbst einen Beitrag für das Forum.

C4 Projekt: Lesen lohnt sich!

Ihr wollt eure Mitschüler dazu anregen, mehr zu lesen, weil dies auch beim Erlernen der deutschen Sprache hilfreich ist. Entwerft in Gruppen einen Prospekt, in dem ihr euren Mitschülern erklärt, warum sie mehr lesen sollen. Nennt in dem Prospekt einige Argumente, welche Vorteile Lesen hat, und macht darin außerdem Vorschläge, wann und wo man lesen könnte.

Wählt dazu auch ein geeignetes Foto zusammen aus.
Ihr habt drei Fotos zur Auswahl. Sprecht darüber, welches der Fotos am besten passt und begründet eure Entscheidung.

Vorschlagen
Ich würde ... nehmen, weil ...
Dieses Foto wäre auch/besser geeignet, weil ...
Warum denn nicht dieses Foto? Ich finde, ...

Widersprechen
Das finde ich aber nicht.
Das stimmt aber nicht.
Ich bin nicht einverstanden.

Nachgeben
Da hast du natürlich recht.
Das stimmt natürlich schon.
Daran habe ich gar nicht gedacht.

Auf seiner Meinung bestehen
Das kann schon sein. Aber ...
Trotzdem ist ...
Das überzeugt mich nicht.

Sich einigen
Also gut. Dann machen wir's so.
Gut, ich bin einverstanden.
Ja, damit habe ich kein Problem.

D Rolltreppe abwärts

Der folgende Textausschnitt ist aus dem Jugendbuch „Rolltreppe abwärts" von Hans Georg Noack (1926–2005). Der Autor gehört zu den erfolgreichsten und meistgelesenen deutschen Jugendbuchautoren. Seine Bücher wurden in viele Sprachen übersetzt.

In „Rolltreppe abwärts" geht es um einen 13-jährigen Jungen, der bei seiner Mutter lebt, weil seine Eltern geschieden sind. Als er eines Tages nicht in die Wohnung kann, weil er seinen Schlüssel vergessen hat, geht er in ein Kaufhaus und lernt dort Axel kennen.

a Lies den folgenden Text aus dem Jugendbuch „Rolltreppe abwärts" und die Aussagen zu dem Text. Welche Aussagen stimmen?

Mit Axel konnte man reden. Über alles. Er war so sicher, wusste auf alles eine Antwort. Wenn er auch noch nicht ganz sechzehn war, schien er doch fast erwachsen zu sein.
5 Und er behandelte Jochen nicht wie einen kleinen Jungen, sondern richtig gleichberechtigt, von Mann zu Mann. Meistens hatte er auch Geld, und dann war er nicht kleinlich. Es tat wohl, Axel zum Freund zu haben.
10 Vier, fünf Tage lang dachte Jochen vormittags in der Schule schon an das Treffen am Nachmittag. Unten an der Rolltreppe.
Und dann sagte Axel eines Tages: „Du, heute bin ich pleite. Kannst du nicht mal die Zigaret-
15 ten bezahlen?"
Jochen wurde rot. „Ich hab doch kein Geld. Meinst du, ich kriege Taschengeld von meiner Mutter? Die sagt nur immer: Du hast alles, was du brauchst, und Taschengeld bringt dich nur
20 auf dumme Gedanken. Die behandelt mich überhaupt wie ein kleines Kind!"
Axel nickte. „Bei mir ist es umgekehrt. Taschengeld kriege ich jede Menge. Dann bin ich versorgt und man braucht sich nicht mehr weiter
25 um mich zu kümmern. Aber diesmal ist es doch ein bisschen knapp, weißt du. Schließlich hab ich jetzt immer für dich mitbezahlt. Jetzt wärst du wirklich mal an der Reihe!"
Es war Jochen schrecklich peinlich. Axel hatte ja
30 recht. Er bezahlte immer alles.
„Du kannst das doch ganz schön geschickt, das hab ich bei den Bonbons gesehen. Los, das kriegen wir schon hin."
Am Zigarettenstand ließ Axel sich von der Ver-
35 käuferin Feuerzeuge zeigen, schwankte, stellte Fragen nach dem Mechanismus, war unzufrieden, betrachtete das nächste und das übernächste, fand nicht das richtige und sorgte dafür, dass die Verkäuferin die Reihe von Feu-
40 erzeugen im Auge behalten musste, die sie vor ihm hingelegt hatte. Als Axel sich endlich mit einem entschuldigenden Lächeln achselzuckend abwandte, hatte Jochen zwei Schachteln Zigaretten in der Tasche.
45 „Mensch, Jochen, du bist ein Ass!"
Jochen prustete. „Aber was ich für eine Angst ausgestanden habe! Wenn mich jemand erwischt hätte ..."

1 Wenn Jochen mit Axel zusammen ist, fühlt er sich richtig erwachsen.
2 Axel will Jochen dazu überreden zu rauchen.
3 Es ist Jochen sehr unangenehm, dass er kein eigenes Geld hat.
4 Axels Eltern verhalten sich ihrem Sohn gegenüber großzügig, aber auch gleichgültig.
5 Axel hat Verständnis für Jochens finanzielle Situation.
6 Jochen ist schon einmal dabei gesehen worden, als er im Kaufhaus Bonbons gestohlen hat.
7 Axel lobt Jochen dafür, dass sein Versuch geklappt hat.
8 Das Stehlen ist Jochen sehr leicht gefallen.

b Beschreibe Jochen und Axel hinsichtlich der folgenden Aspekte:

- ihr Verhältnis zu ihren Familien
- ihren Umgang mit Geld
- ihr allgemeines Verhalten in Bezug auf ihr Alter
- die möglichen Motive ihrer Freundschaft zueinander

c Warum war es so leicht, im Kaufhaus einen Diebstahl zu begehen?
Welche Faktoren haben dabei eine Rolle gespielt? Sprecht darüber in der Klasse.

d Und wie könnte die Geschichte weitergehen?

Aber in der Nacht träumte Jochen. Er fuhr die Rolltreppe abwärts, und plötzlich sah er unten, am Fuße der Treppe, einen Angestellten mit einem Bündel Papiere in der Hand. Er sah über
5 den Rand seiner Papiere hinweg Jochen abwartend entgegen.

Wählt eine mögliche Version oder schreibt eine eigene Fortsetzung und einen Schluss.
Präsentiert eure Geschichte anschließend in der Klasse und begründet eure Entscheidung.

Version 1: zu Tode erschrecken
Angestellter/mit der Polizei drohen
Eltern benachrichtigen
Geld für Zigaretten zurückzahlen

Version 2: zu Tode erschrecken
davonlaufen
immer Alpträume haben
immer Angst vor Axel haben

Version 3: zu Tode erschrecken
dem Angestellten alles gestehen
umsonst im Kaufhaus arbeiten
Freundschaft mit Axel abbrechen

E Cartoon: „Hausmusik?!"

a Überlegt in der Klasse: Warum heißt der Cartoon „Hausmusik"?

b Schreibt zu jedem Bild auf, was darauf passiert. Außerdem sollte jede Person eine Sprechblase mit einer Aussage bekommen, die für sie charakteristisch ist.

c Hängt eure Geschichten zum Schluss als Wandzeitung aus.

Gefilmte und reale Welt

Schaut euch das Foto an. Was machen die Personen gerade?

Was sehen die Jugendlichen in deinem Land am liebsten: Filme im Kino, im Fernsehen oder DVDs?

Wo seht ihr am liebsten Filme? Sprecht darüber in der Klasse.

A

Daily Soaps

A1

Wie Daily Soaps entstehen

a Welche Daily Soaps kennt ihr? Berichtet kurz über ihren Inhalt.
Was gefällt euch an den Soaps, was nicht? Diskutiert darüber in der Klasse.

b Lies den Text und ordne die Überschriften aus dem Kasten den einzelnen Abschnitten zu.

- Produktion von Soaps: schnell und billig
- eine Scheinwelt im Wohnzimmer
- „Lillis" Zukunft ist ungewiss
- 1 kurzlebige Figuren
- Koordinator bei der Produktion
- „Lilli" will noch nicht sterben
- eine „komprimierte" Biografie
- im Bann der täglichen Serie
- mehr Spannung als im wirklichen Leben

Überleben im Seifenschaum
Am Beispiel *Marienhof*[1]: Wie die Figuren einer Daily Soap entstehen, wachsen und wieder verschwinden

1

In einem Jahr könnte Lilli tot sein. Wie ihre Vorgängerin Sophie, die die Autoren nach wenigen Monaten hinausgeschrieben haben aus dem fiktiven Kölner Stadtteil Marienhof: gestorben an einer Überdosis Tabletten, geschluckt aus Liebeskummer. Lilli könnte beim Hip-Hop-Kurs leblos zusammenbrechen. Es könnte ihr auch ein Selbstmörder auf den Kopf fallen. Lilli würde ihr Leben
5 opfern und der Mann wäre gerettet.

2

Ein Heldinnentod, das wär's. Aber Lilli möchte nicht sterben. Mary Muhsal, 19 Jahre alt und seit September als Lilli im ARD-Marienhof zu sehen, seufzt. „Das wünsche ich mir nicht", sagt sie, „das wäre ganz
10 schrecklich. Dass ich sterbe, nee, das kann ich mir überhaupt nicht vorstellen."

3

Tanja Schiltz glaubt das auch nicht. Sie ist 17, wohnt in der Nähe von Stuttgart – und sitzt auf der anderen Seite der Mattscheibe[2]. Jeden Werktag, 18.45 Uhr, ku-
15 schelt sie sich ins Sofa, rührt die heiße Schokolade um oder nippt, im Sommer, am Kaltgetränk. Die Fernbedienung in der Hand, die Taste mit der Eins gedrückt. Wenn die Erkennungsmelodie ertönt, klopft ihr Herz.

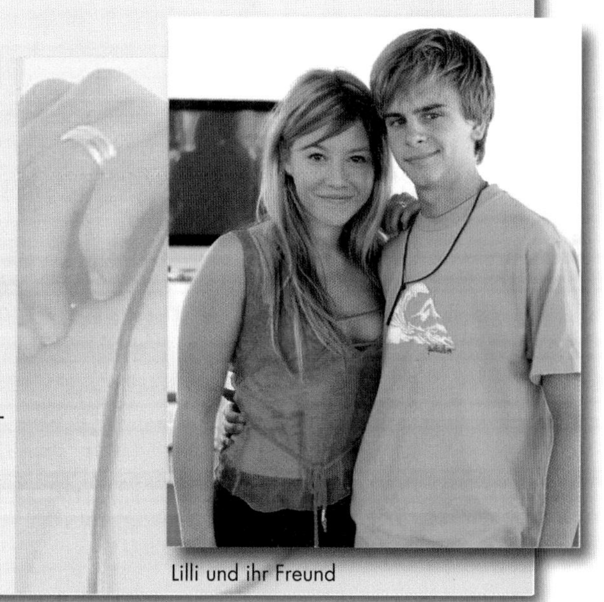

Lilli und ihr Freund

„Ich bin echt aufgeregt", sagt sie. Kein Einzelfall. In diversen Internet-Foren tummeln sich die Soap-
20 Verrückten, die tagaus, tagein verfolgen, wie es weitergeht bei „Marienhof", „Verbotene Liebe" (ARD), „Gute Zeiten, schlechte Zeiten" (RTL) und ähnlichen Produktionen.

4

Die Sucht nach dem täglichen Stoff[3]. Etwa 15 Millionen Menschen verfolgen jeden Tag die Schicksale ihrer Soap-Helden, die Figuren sind Dauergäste im Wohnzimmer, Begleiter im Alltag. Timmi Töppers klimpert so schräg auf dem Klavier wie einst der eigene kleine Bruder, Alexa aus der
25 „Verbotenen Liebe" trägt dieses schwarze Shirt mit dem Marienkäfer auf der Schulter, das wir uns neulich erst in der Fußgängerzone kauften. Alles scheint zu sein wie bei dir und mir – und ist es eben haarscharf nicht.

5

„Das Leben ist normalerweise nicht so wahnsinnig aufregend", sagt Henner Heß, Dramaturg und Experte in Sachen Spannung. Er sitzt in seinem engen Büro auf dem Bavaria-Gelände in Grünwald, wo
30 die Sendung produziert wird.
„Klar versuchen wir, alles so authentisch wie möglich zu machen", sagt er. „Aber du brauchst immer 'ne Überhöhung[4]. Wir müssen alles komprimiert darstellen."

6

Auszug aus der Biografie der Andrea Süßkind, seit acht Jahren Kunstfigur im Marienhof: Als
35 Kind vom Stiefvater missbraucht. Drei Beziehungen zu Männern, zwei zu Frauen. Ein „Nein" vor dem Traualtar, eine Hochzeit – und wenige Tage später gleich die Trennung. Dazu eine Vergewaltigung, zwei Fehlgeburten und
40 währenddessen stets jede Menge Arbeit als Arbeitsamts-Angestellte, Radio-Moderatorin, Plattenladen- und Reisebüro-Besitzerin (ohne Umschulung). Acht zehrende Jahre, ganz ohne Psychiater.

Andrea Süßkind

7

45 Eine Daily Soap ist wie ein Schal, an dem Dutzende Menschen stricken. Storyschreiber, Drehbuchautoren, Dramaturgen, Produzenten, Regisseure, Darsteller.
Masche um Masche reihen sie aneinander,
50 und wenn der Faden ausgeht, stricken sie in einer anderen Farbe weiter. Pausenlos arbeiten sie an den Figuren, knüpfen Beziehungsgeflechte. Fünf Folgen entstehen pro Woche, 250 im Jahr, die Zeit ist knapp, das Geld auch:
55 3500 Euro kostet eine Soap-Minute. 60 Sekunden eines durchschnittlichen Hollywood-Films kosten eine halbe Million. Werner Lüder weiß: „Nirgendwo muss man so viele Kompromisse machen. Quote[5] müssen wir trotzdem bringen, sonst wird's gekippt[6]."

8

Dezember 2006: Feier der 3000. Folge

Lüder ist der Chef-Outliner im Marienhof.
60 Der Chef-Outliner ist der Erste, der alle Ideen und Episoden aufschreibt, der dafür sorgt, dass die Autoren den Schal ohne Fehler und mit überraschenden Farbwechseln verlängern. Strickmuster: ein lustiger
65 Strang[7], ein dramatischer Strang, ein emotionaler Strang, damit die Zuschauer sich nicht langweilen. Dazu eine Mischung aus allen Altersgruppen. „Außerdem achten wir darauf, dass wir nicht zu viele neue
70 Gesichter haben", sagt Lüder, „das ist ganz wichtig für so eine tägliche Serie. Die Leute schalten ein, weil sie ihre vertrauten Figuren sehen wollen."

9

Das Modell der neuen Marienhof-Kulisse

Wie es mit Lilli weitergeht, ob sie irgendwann sterben muss, weiß nicht einmal Lü-
75 der, der die Figur erfunden hat. „Phhh", macht er. „Ich hab mir vorgenommen, dass sie ähnlich strukturiert bleibt, wenn sie sich nach dem Abitur um eine Ausbildung kümmert. Sie wird mal hier und da probieren.
80 „Alles Weitere hängt davon ab, wie sich die Darstellerin entwickelt und davon, ob Mary Muhsal einen neuen Vertrag bekommt. Auf der Marienhof-Homepage schimpfen Zuschauer über die Rolle, „kin-
85 disch, lächerlich". Mary Muhsal findet das „ein bisschen traurig". Wenn Lilli die Zuschauer langweilt, wird es sie irgendwann nicht mehr geben.

---

1 „Marienhof" war eine der beliebtesten deutschen Daily Soaps. Die Serie lief im Ersten Deutschen Fernsehen (ARD).
2 Mattscheibe: Fernsehbildschirm
3 Stoff: Drogen; der Autor spielt mit diesem Wort darauf an, dass die Fans von Daily Soaps nach der Serie „süchtig" sind.
4 Überhöhung: Übertreibung; stärker als im wirklichen Leben
5 Quote (Einschaltquote) bringen: viele Zuschauer dazu bringen, die Serie anzuschauen
6 kippen: aus dem Programm nehmen; nicht mehr weiter produzieren
7 Strang: Handlungsstrang; eine von mehreren fortlaufenden Geschichten innerhalb der Serie

c Schreib zu jeder Überschrift eine kurze Zusammenfassung des Abschnitts (3–4 Sätze).

d Wie ist der große Erfolg von Daily Soaps zu erklären? Diskutiert darüber in der Klasse.

GR1 Temporale Angaben (1)

Adverbien	Nomen	Nomen mit Präposition	Nebensätze
tagaus, tagein	jeden Werktag	in einem Jahr	wenn die Erkennungsmelodie ertönt

e Lege in deinem Heft eine Tabelle an.
Ordne die Zeitangaben im Text den vier Kategorien zu.

GR2 Partizip I und Partizip II: Verschiedene Verwendungen

Partizip I als Adjektiv	Partizip II als Adjektiv	Partizip II als Verb	
		mit „haben" (Perfekt)	mit „werden" (Passiv)
Das Leben ist aufregend. *mit überraschenden Farbwechseln*	*Ich bin aufgeregt.* *Verbotene Liebe*	*Sie haben Sophie hinausgeschrieben.*	*Sonst wird die Sendung gekippt.*

f Ergänze die Tabelle in deinem Heft mit weiteren Beispielen aus dem Text.
Tipps zur Bildung der Partizipien und zu ihrer Verwendung als Adjektive findest du unten.

	Beispiel	Verwendung
Partizip I als Adjektiv	*Die Autoren verlängern den Schal mit überraschenden Farbwechseln.* *= ... mit Farbwechseln, die überraschen*	Gleichzeitigkeit, Aktiv
Partizip II als Adjektiv	*Ich bin aufgeregt.* *Verbotene Liebe* *= die Liebe wurde verboten*	Zustand Vorzeitigkeit, Passiv

Bildung der Partizipien

Partizip I
aufregen + d (Infinitiv + d)

Partizip II
(vgl. Perfektbildung)
aufgeregt geschluckt komprimiert ...

A2 Warum Jugendliche Daily Soaps sehen

a Lies die Aussagen der Jugendlichen und ordne sie einer der Gruppen 1–4 zu.

1	2	3	4
Soaps sind für mich gute Unterhaltung oder enthalten lehrreiche Informationen.	Mit manchen Figuren kann ich mich identifizieren. Zum Teil sind sie auch eine Art Vorbild für mich.	Manche „Kunstfiguren" sind so real für mich, dass ich mich in sie verlieben könnte.	Ich bin ein echter Fan. Mich interessiert alles, was die Schauspieler und ihr Privatleben betrifft.

Iris, 14
Seit 6 Jahren bin ich schon dabei! Ich sehe alles Mögliche, aber am besten gefällt mir „Gute Zeiten, schlechte Zeiten"[1]. Kai ist super, weil er immer das Richtige macht. An seiner Stelle würde ich auch so handeln. Ich verstehe seine Gefühle und oft weine oder lache ich auch, wenn es ihm gut oder schlecht geht.

[1] Titel der erfolgreichsten Daily Soap im deutschen Fernsehen

Evamaria, 15
Ich sehe seit einigen Monaten regelmäßig den „Marienhof". Die Sendung gefällt mir, weil sie spannend ist, aber man kann auch vieles lernen. Wenn ich selbst manchmal in einer schwierigen Situation bin, denke ich einfach, wie die das wohl im „Marienhof" lösen würden. Das hilft mir unheimlich!

Claire, 15
Ich habe mir ganz viele Informationen über die Schauspieler heruntergeladen. Die meisten kenne ich schon so gut, als ob sie enge Freunde und Freundinnen von mir wären. Ich bin auch im Marienhof-Fanklub und lese regelmäßig die Marienhof-Zeitschrift.

Tanja, 14
Ich sehe gern Liebesfilme, weil es da um Gefühle und Beziehungen geht. Jeden Tag unterhalte ich mich mit meiner besten Freundin über die letzte Folge von „Gute Zeiten, schlechte Zeiten". Ich finde Chris total süß, ich wäre gern seine Freundin. Manchmal stelle ich mir vor, wie romantisch es wäre, wenn wir zusammen wären.

Ken, 16
Ich sehe „Gute Zeiten, schlechte Zeiten" schon seit 4 Jahren, und zwar so regelmäßig wie möglich. Leichte Unterhaltung! Das ist genau, was ich nach der Schule brauche! Sogenannte Alltagsgeschichten, die alles, nur nicht alltäglich sind. Aber gerade das macht Spaß: Es ist so dilettantisch gemacht, dass man den Aufbau der Handlung genau verstehen kann. Ich genieße das, gerade weil es so unwahrscheinlich ist!

Sabrina, 14
Seit etwa einem Jahr sehe ich regelmäßig „Gute Zeiten, schlechte Zeiten“ und den „Marienhof“. Da finde ich besonders toll, dass auch Dicke und Behinderte mitspielen und nicht nur so dünne Supermodels! Dadurch kann man auch sehen, was für Probleme solche Menschen haben. Ich bin selbst ein bisschen pummelig und weiß genau, wie man sich da fühlt.

Candida, 16
Ich habe vor etwa drei Jahren bei einer Veranstaltung ein paar Marienhof-Stars persönlich kennengelernt und war so begeistert von ihnen, dass ich seither jeden Tag „Marienhof“ schaue. Später habe ich auch noch andere Marienhof-Schauspieler getroffen und sie waren alle sehr nett. Irgendwie verstehe ich dadurch auch die Handlung besser, denn sie spielen ja auch sich selbst.

b Siehst du selbst gern Daily Soaps?
Was sind deine Gründe dafür? Vergleiche mit den Aussagen der Jugendlichen in a.

A3 Interview mit Christiane Klimt

Christiane Klimt spielt in der RTL-Soap „Alles was zählt“ die Rolle von Jenny Steinkamp.
Jenny, Tochter eines Konzernchefs und Vizemeisterin im Eiskunstlauf, ist ein richtiges „Biest“ und benutzt jede Art von Intrigen, um sich mögliche Konkurrentinnen in ihrer Beziehung mit dem Marketingchef des Konzerns vom Hals zu schaffen.

34–38

Hör das Interview. In welcher Reihenfolge werden die Themen im Interview angesprochen?
Hör dann das Interview noch einmal und notiere passende Antworten.

- ☐ Geburtsort: *Limburg*
- ☐ Schulbesuch (wo? wie?)
- ☐ Schauspielausbildung (wo?)
- *1* Unterschied Theater – Fernsehen
- ☐ Dreh-Alltag (wann? wie lange?)
- ☐ Rolle in einer Soap (warum?)
- ☐ Wie findet sie die Rolle?
- ☐ Vorliebe für Musicals (warum?)
- ☐ Vorbilder
- ☐ Zukunftswünsche

B

Traumberuf Schauspieler?

Warum betrachten viele Jugendliche den Beruf des Schauspielers als Traumberuf? Sprecht darüber in der Klasse.

B1 Karriere beim Film

a Lies die drei Porträts und notiere die Informationen in deinem Heft. (Nicht alle Informationen stehen in den Texten.)

- Alter
- Wohnort (jetzt)
- Schulbildung
- künstlerische Betätigung als Kind/Jugendlicher
- Besuch einer Schauspielschule
- Beginn der Karriere
- Auszeichnungen
- die bekanntesten Filme/Theaterstücke
- Informationen über Privatleben

Daniel Brühl, geb. 16.6.1978

Seit dem großen Erfolg der Komödie „Good Bye, Lenin!" gilt Daniel Brühl als das neue deutsche Schauspielwunder. Daniel wurde in Barcelona als Sohn einer spanischen Mutter und eines deutschen Vaters geboren und wuchs bei seinem Vater, einem Regisseur, in Köln auf. Schon als Kind von 8 Jahren begann er Hörspiele zu sprechen, synchronisierte[1] Spielfilme und versuchte sich ein paar Jahre später auch im Schultheater als Schauspieler. Im Alter von 16 Jahren stand er zum ersten Mal vor der Kamera und übernahm im TV-Film „Svens Geheimnis" eine Rolle.
Trotz seiner Erfolge als Schauspieler folgte Daniel dem Rat seines Vaters und machte zunächst sein Abitur. Während seines Zivildienstes[2] arbeitete er wieder fürs Fernsehen. Eine Schauspielschule besuchte er allerdings nie.
Sein Kino-Debüt[3] feierte Daniel Brühl mit knapp 20 Jahren in dem Teenager-Thriller „Schlaraffenland". Ein Jahr später beeindruckte Daniel Brühl mit dem Portrait eines Schizophrenen in „Das weiße Rauschen". Für diese Leistung erhielt er den Bayerischen Filmpreis als bester Nachwuchsdarsteller. Mit der Komödie „Good Bye, Lenin!" wurde Daniel Brühl auch international bekannt. Der Film war ein Riesenerfolg und brachte allen Beteiligten zahlreiche Preise ein. Daniel Brühl wurde mit dem Deutschen und dem Europäischen Filmpreis als bester Schauspieler 2003 ausgezeichnet. Seither folgten weitere Filmerfolge, in denen seine darstellerische Leistung hochgelobt wird.

---

[1] Filme synchronisieren: fremdsprachige Filme in der Muttersprache vertonen

[2] der Zivildienst: Alternative zum Dienst bei der deutschen Bundeswehr, meist in sozialen Einrichtungen wie Krankenhäusern

[3] Kino-Debüt: erster Kinofilm

Franka Potente, geb. 22.7.1974
Franka wurde 1974 in Nordrhein-Westfalen als Tochter eines Lehrers geboren. Als 19-jährige Abiturientin zog sie nach München und begann Schauspiel zu studieren. Sie brach aber ihr Studium ab und spielte in kleinen Film- und Fernsehproduktionen. Ihre Karriere begann, nachdem sie in einer Münchner Kneipe von einer Filmagentin angesprochen worden war und daraufhin in der Erfolgskomödie „Nach fünf im Urwald" mitspielte. Nach einigen Fernseh- und Kinofilmen stieg sie 1998 mit der Titelrolle in Tom Tykwers Film „Lola rennt" zum Publikumsliebling auf und schaffte zwei Jahre später als eine der wenigen deutschen Schauspieler den Sprung nach Hollywood.
Seither spielte sie in vielen Kinofilmen zusammen mit bekannten Hollywood-Schauspielern wie Jonny Depp („Blow"), Matt Damon („Die Bourne-Identität") u. a.
Franka Potente lebt seit einigen Jahren in Amerika.

Julia Jentsch, geb. 20.2.1978
Julia Jentsch ist auf der Theaterbühne ebenso zu Hause wie im Kino und im Fernsehen. Die in Berlin geborene Schauspielerin besuchte nach dem Abitur die Hochschule für Schauspielkunst Ernst Busch in Berlin. Seit 1995 steht sie auf den „Brettern, die die Welt bedeuten". Sie spielte die Orphise in Hugo von Hofmannsthals „Die Lästigen", war 1996/97 das Gretchen in Goethes „Urfaust" auf der Freien Bühne Witzleben und schließlich die Julia in „Blaubart – Hoffnung der Frauen" (2000) am Maxim Gorki Theater. 2000 erhielt sie den Max-Rheinhardt-Preis für ihre Rolle in „Die Perser".
2001 zog Julia Jentsch nach München um. Dort gehört sie zum Ensemble der Münchner Kammerspiele. Sie glänzte in klassischen Stücken und wurde von der Zeitschrift „Theater Heute" als beste Nachwuchsschauspielerin ausgezeichnet. Außerdem ist Julia Jentsch auch im Fernsehen und im Film präsent.
In „Die fetten Jahre sind vorbei" stand sie mit Daniel Brühl vor der Kamera. Als Nazi-Widerstandskämpferin Sophie Scholl spielte Julia Jentsch in Marc Rothemunds „Sophie Scholl – Die letzten Tage" die Titelrolle. Dafür wurde sie im Februar 2005 mit dem Filmpreis Silberner Bär als beste Schauspielerin ausgezeichnet. Und ihre Erfolge gehen weiter ...

b Beschreibe eine(n) Schauspieler(in) aus deinem Land und lass die anderen raten, wer es ist. Die Redemittel unten helfen dir.

... wurde ... geboren ▪ besuchte die ...-Schule... ▪ (keine) Schauspielschule ▪ schon als Kind, Jugendlicher ... ▪ spielte in ... ▪ ... gelang der Durchbruch ▪ hatte Erfolg mit ... ▪ ... bekanntester Film ist ... ▪ bekam den ...-Preis für ... ▪ wurde mit ... ausgezeichnet

B2 Max beim Film

Man braucht nicht unbedingt eine Schauspielausbildung für eine Rolle in einer TV-Serie.

a Lies den Text und berichte in fünf Sätzen über den Inhalt.

Eine junge Frau wird ermordet. Hat Lukas Lemberg den Mörder seines Kindermädchens Sophie gesehen? Er kann sich an nichts mehr erinnern. Sein Gedächtnis streikt. Schuld ist 5 der Sturz von einer Treppe. Eine Geschichte aus dem Leben? Nun, vielleicht nicht ganz. Lukas heißt im wirklichen Leben Max. Und der braucht mit 14 Jahren kein Kindermädchen mehr. Die Geschichte spielt in der TV-Krimi- 10 serie „Wilsberg und der stumme Zeuge".
Georg Wilsberg, ein chaotischer Privatdetektiv, löst schwierige Fälle. In dieser Folge hat Max eine Rolle bekommen. Eine Sprechrolle sogar! „Beim Casting[1] war ich schon öfter in 15 der engeren Auswahl", erzählt der 14-jährige Schüler aus Herdecke, „aber bisher hat's nie geklappt. Von meiner Familie hat schon keiner mehr damit gerechnet." Eine Schauspielagentur hat sein Bild in ihrer Kartei. Die Agen- 20 tur schlägt ihn vor, wenn junge Darsteller gesucht werden. Diesmal hatte er Glück. „Wir haben einen zurückhaltenden Jungen gesucht, der aber kein Stubenhocker[2] ist", erklärt Anton Moho von Cologne-Film.
25 Heute holt der Fahrer Max ab und bringt ihn zum aktuellen Drehort nach Köln. Rund um die Stadt am Rhein produziert man besonders viele Filme und Serien fürs Fernsehen. Und darum suchen die Filmleute hier besonders 30 oft Darsteller und Statisten. Für Nebenrollen nimmt man keine Profis, sondern Laien, weil Profis zu teuer sind.
Oft muss Max warten, bis seine Szene an der Reihe ist. Doch das macht nichts. „Beim Film 35 braucht man Geduld", weiß er und nutzt die Zeit des Wartens: er fachsimpelt[3] mit Schauspielerkollegen, trinkt Limo oder macht Hausaufgaben. Manchmal muss Max die Schule wegen der Dreharbeiten früher verlassen. 40 Dazu braucht er jedoch die Erlaubnis vom Schuldirektor. „Die bekomme ich nur, wenn die Noten nicht schlechter werden", berichtet Max.
Jugendliche dürfen in Deutschland nicht län- 45 ger als drei Stunden am Tag drehen. Es bleibt also noch Zeit für Freundschaften. Gerne würde Max später Popstar oder Schauspieler werden, doch: „Im Fernsehen sehe ich mich nicht so gerne. Das ist mir peinlich". Seinen 50 Klassenkameraden erzählt er darum nicht so viel über seinen Nebenjob. „Die sind schnell neidisch und machen blöde Sprüche."

---

[1] das Casting: Probeaufnahmen mit kleinen Textrollen; entscheidet darüber, ob jemand eine Rolle bekommt oder nicht
[2] der Stubenhocker: jemand, der meistens zu Hause bleibt
[3] fachsimpeln: Fachgespräche führen

b Wo steht das im Text? Notiere die Sätze mit derselben Bedeutung.

1. Früher hatte Max beim Casting kein Glück.
2. Es stört Max nicht, wenn er warten muss.
3. Eine junge Frau lebt nicht mehr.
4. Max wird nicht ungeduldig.
5. Manchmal bleibt Max nicht bis zum Ende des Unterrichts.
6. Lukas weiß nicht, ob er Sophies Mörder gesehen hat.
7. Man will nicht so viel Geld für Profis ausgeben.
8. Die Geschichte stammt nicht aus dem wirklichen Leben.
9. Max bekommt keine Sondererlaubnis vom Direktor, wenn er kein guter Schüler ist.

c Notiere alle Textstellen mit einer Negation.

GR3 Negation

1. nicht	**Position der Negation**	
a. nicht bezieht sich auf ein Wort/einen Ausdruck:		**Wortnegation**
Man braucht nicht unbedingt eine Schauspielausbildung.	vor dem Wort/Ausdruck, das/der verneint wird	
b. nicht bezieht sich auf den ganzen Satz:		**Satznegation**
Es stört Max nicht, ...	am Satzende	
Gestern holte der Fahrer Max nicht ab. Max möchte nicht warten. Letzte Woche hat er nicht gewartet.	vor dem Verb(teil) am Satzende	
Manchmal bleibt Max nicht bis zum Ende des Unterrichts.	vor der Präposition	
2. kein: Satznegation		
Früher hatte Max kein Glück.	Glück haben → kein Glück haben	
3. nichts, nie, keiner/niemand		
Max kann sich an nichts mehr erinnern. Bisher hat's nie geklappt. Von meiner Familie hat keiner/niemand mehr damit gerechnet.		
4. sondern		
Für Nebenrollen nimmt man keine Profis, sondern Laien.		

d Suche alle Fälle von Negation aus b und c und ordne sie den Anwendungsbereichen in der Tabelle zu.

e Ergänze die Tabelle in deinem Heft.

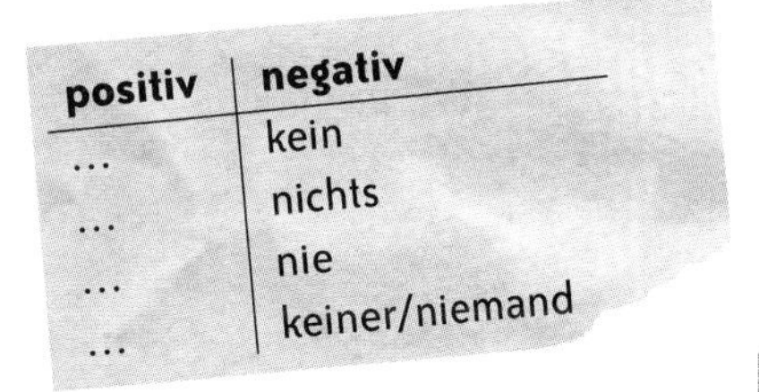

positiv	negativ
...	kein
...	nichts
...	nie
...	keiner/niemand

C Junge Filmemacher

C1 Anlaufstelle für junge Filmemacher

Das Freiburger SchülerFilmForum zeigt Filme von und für Jugendliche.

a Lies den Text. Was für Filme wollten die jungen Leute machen? Was war ihnen dabei wichtig? Berichte in wenigen Sätzen.

Maurice möchte/Die Jugendlichen möchten vor allem ...
Außerdem findet er/finden sie ... gut/wichtig

Der eine hatte beim Musikhören eine gute Idee für ein Drehbuch zum Thema Farben. Die anderen wollten immer schon mal einen Film gegen den Krieg machen. Alle Jungen haben etwas gemeinsam: Sie lieben Kino und sie lieben es, selbst Filme zu machen. Dass ihre Filme Erfolg haben, Preise bekommen und in Stadtkinos, Filmforen und auf Filmwettbewerben gezeigt werden, freut Maurice, Kristof, Robert und Georg. Jedes Jahr haben sie neue Ideen und wollen noch besser werden. Das SchülerFilmForum in Freiburg ist die erste Bühne für ihre neuen Filme.

Freunde übernehmen Rollen

Für das Filmforum bastelt Maurice wenige Tage vorher noch an seinem neuesten Filmtrailer[1], weil der eigentliche Film noch nicht ganz fertig ist. Er muss am Computer noch Szenen schneiden und Musik einspielen. Diesmal haben ihn die Musik des Hollywoodfilms „Gladiator" und Modeaufnahmen von Bekannten auf eine besondere Idee gebracht: „Ich habe beschlossen, mal einen Kurzfilm zur Symbolik der Farben zu drehen." Maurice ging auf die Suche nach Plätzen in der Umgebung, die zu seiner Vorstellung passten. Im Herbst nahm er Laubbäume in den Farben Gelb und Orange auf. Zu Hause in der Garage drehte er vor einem selbst gebastelten Bluescreen[2] mit einem Freund Bewegungsaufnahmen. Die Story: Ein Junge durchlebt alle Assoziationen, die ihm bei bestimmten Farben einfallen. Zuerst sind die Farben Magie, dann wird es ein Abenteuer.
Maurice hat sich überlegt, was Farben bedeuten: „Blau steht für Freiheit und den Himmel, Rot für Eifersucht, Gelb und Orange für Geborgenheit." Mittlerweile hat Maurice viele Freunde, die in seinen Filmen immer wieder Rollen übernehmen. „Die sind richtig gut. Es macht ihnen Spaß. Ein Mädchen will später sogar Schauspielerin werden. Ich werde sicher beruflich auch mal was mit Filmen machen", meint Maurice. Sein Lieblingsregisseur ist übrigens Alfred Hitchcock.

[1] der Filmtrailer = kurzer Werbefilm für einen Film
[2] Bluescreen = blauer Hintergrund. Mit dieser Filmtechnik kann man später z. B. Landschaften ins Bild hineinmontieren, sodass die Szene so aussieht, als hätte man sie im Freien und nicht im Studio gefilmt.

Dschungel am Rhein

Ein ganz anderes Thema haben sich die Brüder Robert und Georg mit ihrem Freund Kristof ausgesucht: „Wir wollten etwas gegen die übliche Nachrichtendarstellung vom Krieg machen. Im Fernsehen sieht Krieg immer so aus, als wären nur Maschinen daran beteiligt. Krieg ist schrecklich – auch für die Soldaten", sagt Georg. Passende Orte für eine Filmhandlung im Dschungel fanden sie zum Glück ganz in ihrer Nähe in einem verwilderten Wald am Rhein. Die umgestürzten Bäume und Tümpel[3] mit Regenwasser waren ein idealer Filmhintergrund. „Wir haben uns Armeekleidung, Filmblut und jede Menge Schminke besorgt", erinnert sich Georg. „Dann haben wir ein paar Freunde angerufen und gefragt, ob sie mitmachen wollen. Da Sommerferien waren, konnten alle kommen." In acht Tagen waren sie mit den Dreharbeiten fertig. Im Herbst haben sie dann am Computer geeignete Musik zu den Szenen gesucht und die besten Einstellungen zusammengesetzt.
Robert, Georg und Kristof haben im letzten Jahr einen Gruselfilm beim SchülerFilmForum präsentiert. Für das nächste Jahr planen sie vielleicht eine Komödie oder eine Satire. „Dann gibt es mal keinen ernsten Film", meint Georg. Selbstverständlich haben die drei Schüler auch Lieblingsfilme: „*Miss Marple* und *Forest Gump* sind super, natürlich *Der Herr der Ringe* und wegen der technischen Effekte der erste Teil von *Matrix*", meint Robert.

[3] Tümpel = kleiner Teich mit trübem Wasser

b Zu wem passen die Aussagen? Zu Maurice oder zu Robert, Georg und Kristof oder vielleicht auch zu beiden? Ordne zu.

1. ... möchte/n zeigen, wie schrecklich es ist, wenn Menschen Gewalt verüben müssen.
2. Am Ende wird die geeignete Musik eingespielt.
3. Die Dreharbeiten sind schon nach wenigen Tagen zu Ende.
4. ... möchte/n auf dem Filmforum den neuen Film mithilfe eines Filmtrailers vorstellen.
5. ... verbindet/en Naturbilder mit Bewegungsaufnahmen.
6. ... ist/sind nicht damit zufrieden, wie bestimmte Ereignisse in den Medien dargestellt werden.
7. ... möchte/n im Film zeigen, welche Bedeutung die einzelnen Farben haben.
8. Freunde spielen immer wieder in den Filmen mit.
9. ... möchte/n ganz unterschiedliche Arten von Filmen machen.
10. Für den Film werden Aufnahmen im Wald gemacht.
11. ... braucht/en für den Film bestimmte Kleidung und Filmaccessoires.
12. Der Hauptdarsteller erlebt Farben als Zauber und Abenteuer.

C2 Projekt: Drehbuch für einen Kurzfilm

Dreht in kleinen Gruppen einen Kurzfilm, den ihr am Ende des Schuljahrs vielleicht beim Schulfest vorstellt. Der beste Film bekommt einen Preis.

Schreibt zuerst die Dialoge zu den folgenden Regieanweisungen bzw. Szenen.

Zeit: Freitagmittag nach dem Unterricht
Ort: in der Eisdiele

1. Szene
Dirk, Nicole und David (16) sitzen in der Eisdiele und unterhalten sich über die Mathearbeit, die sie heute geschrieben haben.

Dirk: *Die Mathearbeit war schwer. Dabei habe ich tagelang mit meinem Bruder gepaukt ...*
Nicole: *Echt? Das kam mir gar nicht so vor ...*
David: *Hört doch endlich mal auf mit der Schule! Die Schule ist zu Ende, versteht ihr? ...*

2. Szene
Jetzt kommen noch Yvonna und Henning (16, 17) in die Eisdiele. Sie erklären, warum sie sich verspätet haben.

3. Szene
Sie planen am Samstagabend etwas zusammen zu unternehmen. Sie besprechen und entscheiden, wann sie wohin gehen.

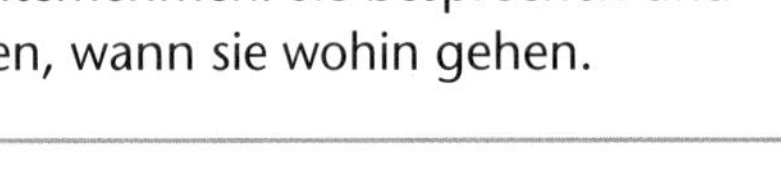

C3 Interview mit dem Schauspieler Tobias Berger

a Was steckt wohl alles in dem Namen „JuFinale"? Was vermutet ihr? Worum könnte es bei der JuFinale gehen? Diskutiert in der Klasse.

39–43

b Hör das Interview und löse die Aufgaben.

1 Was macht Herr Berger beruflich?
   a Es spielt in Soaps.
   b Er ist Filmproduzent.
   c Er ist Synchronsprecher in ausländischen Filmen.

2 Warum wurde die JuFinale ins Leben gerufen?
   a Weil sich die neue Szene weiterentwickeln soll.
   b Auf diese Weise können mehr Filme gedreht werden.
   c Damit die Jugendlichen ihre Filme der Öffentlichkeit zeigen können.

3 Warum finden es Jugendliche attraktiv, selbst Filme zu drehen?
   a Es ist eine angenehme Beschäftigung.
   b Mit dem Einsatz der Technik kann man viel Geld verdienen.
   c Sie wollen nicht nur konsumieren, sondern ihre Ideen aktiv umsetzen.

4 Inwiefern unterstützt der Staat die Arbeit von jugendlichen Filmemachern?
   a Der Staat versorgt die Filmemacher mit den neuesten Geräten.
   b Experten geben den Jugendlichen Ratschläge.
   c Die schwierigen Arbeiten werden von Profis übernommen.

5 Worin unterscheiden sich Filme von jugendlichen Filmemachern von professionellen Filmen?
   a Sie sind oft langweiliger.
   b Sie sind meistens mit sehr billigen Mitteln gemacht.
   c Sie dauern höchstens eine halbe Stunde.

6 Warum machen Jugendliche in erster Linie Spielfilme?
   a Ihnen fehlen die nötigen Voraussetzungen für Dokumentationen.
   b Da können sie mit den vorhandenen Mitteln ihre Gefühle am besten ausdrücken.
   c Experimentelle Filme werden leicht langweilig, weil sie keine Handlung haben.

7 Welche Themen werden in den Filmen u. a. behandelt?
   a Probleme junger Menschen, wenn sie erwachsen werden
   b Probleme, die Jugendliche in der Gesellschaft sehen
   c Probleme, die für die ganze Gesellschaft wichtig sind

8 Was halten junge Filmemacher von Sendungen im Fernsehen?
   a Viele möchten am liebsten auch gern für das Fernsehen produzieren.
   b Manche Sendungen finden sie ziemlich lächerlich.
   c Sie finden die Inhalte und Strukturen oft langweilig.

9 Wo kann man Filme von jungen Filmemachern sehen?
   a Auf allen privaten Kanälen
   b Im Bayerischen Fernsehen
   c In den Fernsehstationen des Jugendfilmfests

c Schreib einen Text für eure Schülerzeitschrift, in dem du dich auf das Interview mit Herrn Berger beziehst. Geh dabei auf folgende Punkte ein:

- Was du davon hältst, wenn Jugendliche selbst Filme produzieren.
- Wie du die Idee der JuFinale findest.
- Ob es in deinem Land auch jugendliche Filmemacher gibt.
- Was für Filme du dir von Jugendlichen wünschen würdest.

Unsere Umwelt heute – und morgen?

Welche Umweltprobleme bzw. Umweltsünden sind hier dargestellt?
Welche gibt es auch in deinem Land?
Welche könnte man lösen?

A Die Folgen des Klimawandels

A1 Wie viel CO_2 kann unsere Erde noch vertragen?

a Lies den Text und ergänze die folgenden Begriffe (wenn nötig, mit Artikel).

Anstieg des Meeresspiegels ▪ Ausbreitung von Schädlingen ▪ Landwirtschaft ▪ Nahrungsmittelproduktion ▪ mehr Krankheiten ▪ zunehmende Wetterextreme ▪ weniger Wasser ▪ Auswirkungen auf die Ökosysteme

Zwar streiten sich die Experten noch über die exakten Mengen an Treibhausgasen, die wir in die Atmosphäre abgeben, und darüber, welche Temperaturerhöhungen diese verursachen. Sicher ist jedoch eins: Unser Klima wandelt sich, und die zukünftigen Folgen des Klimawandels hängen von diesen Werten ab.

Letztes Jahr wurde in der Wissenschaftszeitschrift „Science" eine Studie zum Klimawandel veröffentlicht. Derzufolge könnte ? mehrere Meter betragen. Sollte das gesamte Eis auf Grönland tauen, würde es den Meeresspiegel um 7 Meter ansteigen lassen, beim gesamten Eis der Antarktis wären es sogar 65 Meter.

Der immer weiter ansteigende Meeresspiegel könnte niedrig liegende Küstengebiete überfluten. 22 der 50 größten Städte der Welt sind Küstenstädte, darunter Tokio, Shanghai, Hongkong, New York. In Bangladesh z. B. liegen 17 Prozent der Landesfläche nicht höher als einen Meter über dem Meeresspiegel. Auf dieser Fläche leben 35 Millionen Menschen.

? sind wohl die Folgen des Klimawandels, die man am direktesten spüren wird. Die zunehmende Wärme wird vor allem den Wasserkreislauf der Erde intensivieren, das heißt: Dürren, Überschwemmungen und Stürme nehmen zu. Wo es heute trocken ist, wird es noch trockener. Wo es heute bereits Überschwemmungen gibt, werden diese noch zunehmen. Schon bei einer Erhöhung der Erdtemperatur um 2 Grad würden das südliche Afrika und die Mittelmeerregion über 20–30 Prozent ? verfügen als heute.

Eine Temperaturerhöhung um mehrere Grad hätte tiefgreifende ? . Ein schneller Temperaturanstieg übersteigt die Anpassungsfähigkeit vieler Tiere und Pflanzen und würde daher das bereits existierende Massenaussterben von Arten weiter beschleunigen. Möglich ist auch ein Zusammenbrechen des Regenwalds am Amazonas: Zunehmender Kohlendioxid-Gehalt in der Luft führt dazu, dass die Regenmenge reduziert wird. Eine Verdoppelung des CO_2-Gehalts könnte daher nach Modellrechnungen das Ende der Amazonas-Regenwälder bedeuten. Dies würde den Klimawandel weiter beschleunigen.

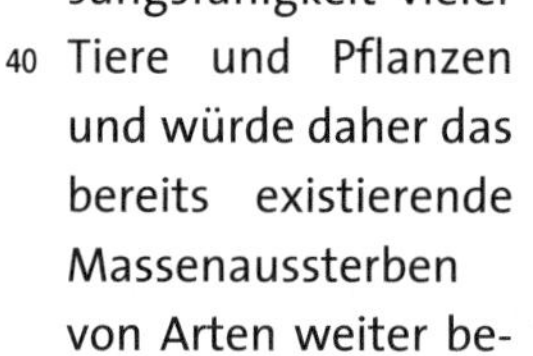

Die Auswirkungen auf die Ökosysteme werden auch ? betreffen. Durch zunehmende Trockenheit oder Überschwemmungen werden in zahlreichen Gebieten die Ernten zurückgehen. Ganze Regionen könnten für die Landwirtschaft unbrauchbar werden – etwa der Mittelmeerraum oder der Westen der USA. Im Fall eines Rückgangs der ? wird es mehr Hunger auf der Welt geben.
Erwärmung kann ? zur Folge haben. So sind vor einigen Jahren in einem Hitzesommer deutlich mehr Menschen gestorben als üblich. Nach

Angaben der WHO[1] werden im Süden durch eine Temperaturerhöhung um 1 Grad jährlich 300 000 Menschen mehr an Durchfallerkran-
70 kungen, Malaria und Unterernährung sterben. Ebenso werden die zunehmenden Wetterextreme für Krankheiten sorgen: Sowohl Dürren als auch Überschwemmungen sind mit Gesundheitsfolgen verbunden.

75 Wärmeres Klima fördert auch ? . In Zukunft gehört die Rückkehr der Malaria nach Europa oder die Ausbreitung des von Tigermücken

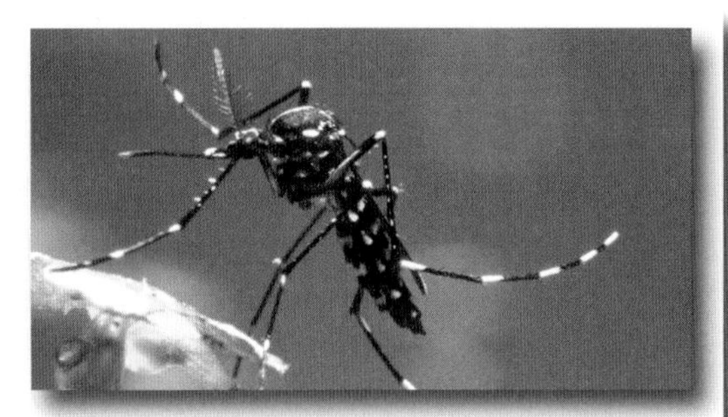

übertragenen Dengue-Fiebers zu den möglichen Folgen des Klimawandels.

[1] WHO: Weltgesundheitsorganisation

b Ordne die Aussagen zu.

1	Wenn große Mengen an Treibhausgasen produziert werden,	a	würden vielleicht die Regenwälder am Amazonas sterben.
2	Wenn das gesamte Eis auf Grönland schmelzen würde,	b	dann könnten niedrig liegende Küstenregionen überschwemmt werden.
3	Wenn der Meeresspiegel immer weiter ansteigt,	c	hat das Temperaturerhöhungen zur Folge.
4	Nehmen Wetterextreme weiter zu,	d	dann würde das den Klimawandel noch beschleunigen.
5	Auch wenn sich die Erdtemperatur nur um zwei Grad erhöhen würde,	e	hätten einige Länder viel weniger Wasser zur Verfügung als jetzt.
6	Würde sich die Temperatur sogar um mehrere Grad erhöhen,	f	würden noch mehr Arten aussterben als bisher.
7	Sollte sich der Kohlendioxidgehalt der Luft verdoppeln,	g	würde der Meeresspiegel um 7 Meter ansteigen.
8	Würden die Amazonas-Regenwälder sterben,	h	gibt es immer mehr Dürren und Überschwemmungen.

GR1 Konditionale Angaben

verbal

Wenn weiterhin große Mengen an Treibhausgasen produziert werden, (dann) hat das Temperaturerhöhungen zur Folge.

- wenn – (dann)
  Nebensatz mit Konjunktion *wenn*, das Verb steht am Ende.

Nehmen Wetterextreme weiter zu, (dann) gibt es immer mehr Dürren und Überschwemmungen.

- ohne wenn – (dann)
  Nebensatz ohne Konjunktion, das Verb steht am Anfang.

nominal

Im Fall eines Rückgangs der Nahrungsmittelproduktion wird es mehr Hunger auf der Welt geben.

- Präposition + Nomen (plus Nomen im Genitiv)

c Forme jeweils den unterstrichenen Ausdruck oder Satz in die verbale oder nominale Variante um.

Beispiel: Bei zunehmender Wärme wird der Wasserkreislauf der Erde intensiver.
Wenn die Wärme zunimmt, wird der Wasserkreislauf intensiver.

1 Bei einem weiteren Anstieg des Kohlendioxids in der Luft wird die Regenmenge reduziert.
2 Wenn die Trockenheit zunimmt, werden die Ernten in vielen Ländern der Erde zurückgehen.
3 Bei einem Rückgang der Ernten wird es mehr Hunger auf der Welt geben.
4 Bei höheren Temperaturen können sich Schädlinge stärker ausbreiten.
5 Wenn es immer heißer wird, sterben wahrscheinlich auch mehr Menschen.

GR2 Hypothetische Bedingungen (Konjunktiv II)

Wenn das gesamte Eis auf Grönland **schmelzen würde, (dann)** würde der Meeresspiegel um 7 Meter ansteigen.
- **wenn – (dann)**
  Nebensatz mit Konjunktion *wenn*, das Verb steht am Ende.

Würden die Amazonas-Regenwälder **sterben,** würde das den Klimawandel beschleunigen.
- **würde** (Verb am Anfang) – **(dann)**
  Nebensatz ohne Konjunktion, das Verb steht am Anfang.

Sollte sich der Kohlendioxidgehalt der Luft **verdoppeln, (dann)** würden die Regenwälder am Amazonas sterben.
- **sollte** (am Anfang) – **(dann)**
  Nebensatz ohne Konjunktion, das Verb steht am Anfang.

d Ergänze die folgenden Sätze sinngemäß.

Sollte das gesamte Eis der Antarktis tauen, ...
Es wird am Amazonas weniger regnen, wenn ...
Wenn es immer häufiger zu Dürren und Überschwemmungen kommt, ...
Würde es im Süden um ein Grad wärmer, ...
Es werden mehr Menschen durch hitzebedingte Krankheiten sterben, wenn ...
Vielleicht würde sogar die Malaria nach Europa zurückkehren, wenn ...

A2 Projekt: Klimaveränderung

Wählt ein Gebiet zum Thema „Klimaveränderung" aus, das euch interessiert, zum Beispiel:

- Bedeutung des Golfstroms für das Klima in Europa
- Bedeutung des Wetterphänomens „El Niño"
- Folgen des Auftauens der Permafrostböden in Sibirien
- Auswirkung des Klimawandels auf die Landwirtschaft im eigenen Land
- ...

Sucht Informationen dazu und stellt sie in der Klasse vor.

B Was tun wir für die Umwelt?

B1 Energie sparen durchs Niedrigenergiehaus

a Seht euch die Darstellung an und klärt die verwendeten Begriffe.
Wie wird Energie gespart? Notiert an der Tafel.

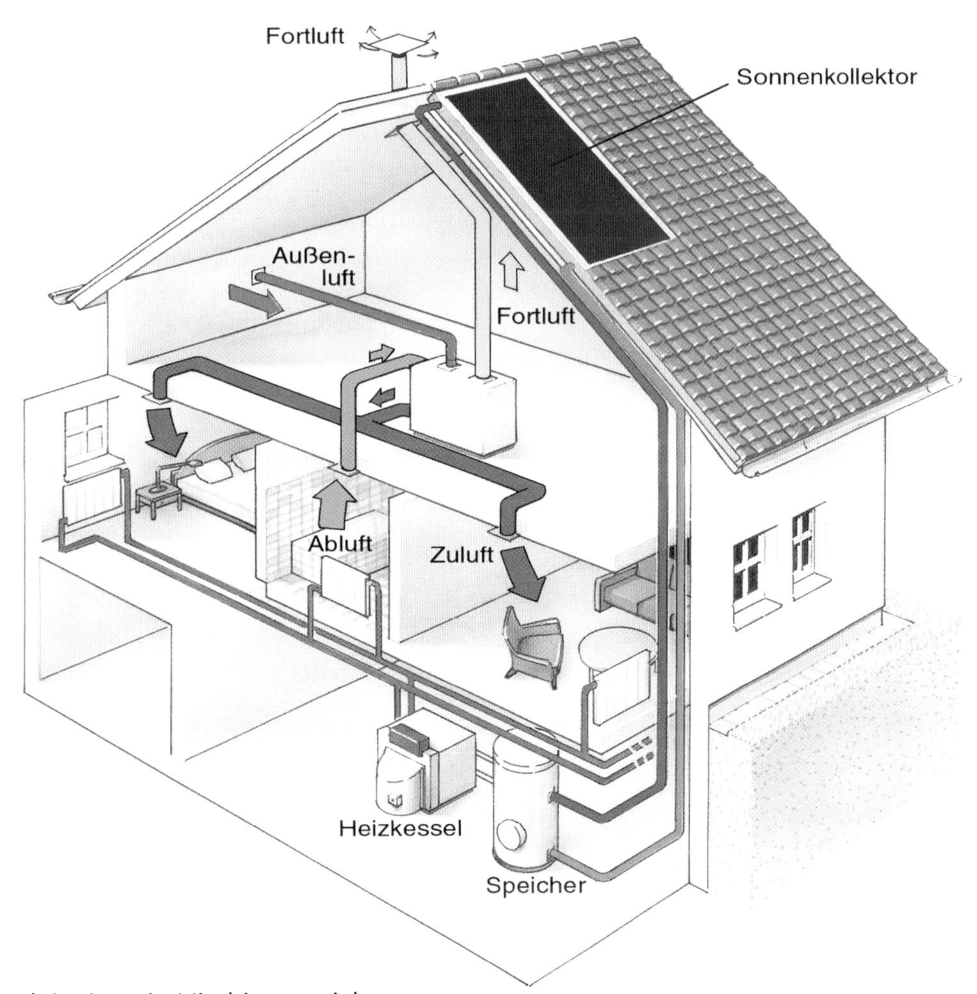

b So funktioniert ein Niedrigenergiehaus.
Ergänze den Text und benutze dazu die Ausdrücke im Kasten.

Wasser wird in den ? erwärmt und fließt in den Speicher.
Wenn die Außentemperatur sehr ? ist, wird Wasser außerdem im Niedertemperaturkessel ? und ergänzt das System.
Vom Speicher fließt es überallhin, wo es gebraucht wird: in die Küche, ins ? und in ? und gibt dort seine Wärme ab. Dann fließt es zum Heizkessel zurück.
Außerdem wird die ?, die für die Belüftung der Räume ? ist, vorgewärmt.
Bevor die ? (= die verbrauchte Luft) nach draußen abgegeben wird, wird ihr Wärme entzogen.
Gute Isolation sorgt für minimalen ?.

Außenluft ■ Bad ■ Energieverlust ■ erwärmt ■ Fortluft ■ Sonnenkollektoren ■ die Heizkörper der Zentralheizung ■ niedrig ■ nötig

B2 Energie-Agenten retten die Umwelt

a Lies den Text und notiere kurze Antworten zu folgenden Fragen:

- Wer sind die „Energie-Agenten“ und was machen sie?
- Wie und wo haben die Jugendlichen ihre theoretischen und praktischen Kenntnisse erworben?
- Welche Aktivitäten gab es im Rahmen des Forschungsprojekts?
- Was erfahren wir über die Präsentation des Beitrags der Jugendlichen?

Jugendliche der Schule für Beruf und Weiterbildung in Frauenfeld (Schweiz) sind als Energie-Agenten unterwegs. Sie sind in Wohn- und Bürogebäuden auf der Suche nach Energiefressern.

Frauenfeld. Sie sind zwischen 13 und 16 Jahre alt und sie wollen etwas für den Klimaschutz tun – 17 Jugendliche der integrierten Sekundarstufe der SBW Frauenfeld haben eine eigene Firma gegründet und engagieren sich als Energie-Agenten. Jeder, der sein Haus von Energiefressern säubern will, kann die SBW-Energie-Agenten unter www.energy-agents.ch.vu buchen und erhält nach dem Agenten-Besuch einen Bericht und Anregungen, wo und wie viel Energie eingespart werden könnte.

Die Jugendlichen verstehen etwas vom Energiesparen, denn sie haben sich dazu in einem Freifach* weitergebildet. „Der Klimawandel ist ein zentrales Thema, das Jugendliche beschäftigt und nicht mehr loslässt“, sagt ihr Lerncoach Matthias Vogel. Im Unterricht wurden die verschiedenen Energiequellen behandelt und während einer Lagerwoche im Herbst haben sich die Schüler an einem Jugend-Solar-Projekt beteiligt. Unter der Leitung eines Solarfachmanns von Solarsupport Schweiz wurde eine 60 Quadratmeter große Solaranlage auf ein Scheunendach im zürcherischen Schönenberg gebaut. Die Solaranlage ist in Betrieb – sie versorgt das Bauernhaus mit Warmwasser, unterstützt im Winter die Zentralheizung und im Sommer die Heubelüftung.

Forschung präsentieren

Der Bau der Solaranlage und das Energie-Agenten-Team sind Teil eines Forschungsprojekts, mit dem die Jugendlichen am internationalen Legowettbewerb unter dem Motto Powerpuzzle teilnehmen. Im Schulzimmer wurde außerdem eine Energiestadt in Kleinformat aufgebaut. In dieser Stadt gibt es Sonnen- und Windenergie, es wird mit Holzpellets gefeuert. Eigene Erfindungen werden präsentiert: Ein Schüler erklärt beispielsweise, wie aus einem Blitz Energie gewonnen werden könnte. Damit diese kleine Energiestadt auch einem breiten Publikum zugänglich wurde, wurden Webcams installiert und auf der Website www.energy-city.juniorwebaward.ch können Interessierte die Stadt auskundschaften und dabei viel Wissenswertes zum Thema Umwelt und Energieeffizienz erfahren.

Am Wochenende präsentierten die Schüler in der Vorausscheidung in Arth-Goldau ihren Forschungsauftrag. Die Frauenfelder Schüler haben sich gut geschlagen – für den Gesamtsieg reichte es zwar nicht, dafür durften sie den Pokal für die beste Präsentation mit nach Hause nehmen.

*Freifach: Wahlfach; nicht obligatorisches Fach

b Über welche Aktivitäten der SBW-Schüler wird im Text berichtet? Schreibe die Sätze in dein Heft.

Von den Energie-Agenten		durchgeführt.
Ein Jugend-Solar-Projekt		Sonnen- und Windenergie gewonnen.
Während einer Lagerwoche	wird	interessierte Personen über Energiesparen informiert.
Durch die Solaranlage		eine Energiestadt im Kleinformat aufgebaut.
und im Winter	werden	Erfindungen von Schülern vorgestellt.
Im Klassenzimmer		eine Solaranlage auf dem Dach einer Scheune gebaut.
In der Energiestadt	wurde	die Zentralheizung unterstützt.
Außerdem		das Bauernhaus mit Warmwasser versorgt.

B3 Greenpeace – die andere Umweltmacht

Dies waren einige der sensationellen Greenpeace-Aktivitäten.
Beschreibe, was genau passiert ist.
Wie findest du die Methoden, die hier benutzt wurden? Diskutiert in der Klasse.

B4 Was tut ihr persönlich für die Umwelt?

Anlässlich einer Umweltaktion von Greenpeace in Berlin hat unser Reporter Besucher gefragt, was sie persönlich für die Umwelt tun.

a Lies die Aussagen. Fasse zusammen, worüber die Leute gesprochen haben.

... findet (nicht) wichtig/hält ... (nicht) für wichtig
... legt (besonderen/keinen) Wert auf ...
... möchte die Umwelt schützen, indem sie/er ...
... ist der Meinung, man sollte unbedingt / auf jeden/keinen Fall ...
... engagiert sich für ...
... ist genervt, weil ...
... tritt ein für ...

Beispiel:
Eva-Maria Berger, 36
Ich verzichte auf das Auto, sooft ich kann. Aber es gibt eine Reihe von Dingen, die die Regierung tun müsste, z. B. endlich ein Tempolimit auf den Autobahnen einführen. Es ist umweltpolitisch nicht zu akzeptieren, dass man immer noch mit den Geländewagen mit 200 Stundenkilometern über die Autobahn rasen darf.

Frau Berger findet es besonders wichtig, dass man das Auto möglichst wenig benutzt. Man sollte auch auf der Autobahn langsamer und sparsamer fahren.

Isabelle Fischer, 16
Für die Umwelt? Ja klar! Zu Hause trennen wir ganz exakt den Müll, in vier verschiedenen Eimern! In den einen kommt Plastik, in einen anderen Papier usw. Damit sich hinterher alles recyceln lässt! Das Altpapier muss ich dann immer wegbringen! Und Sondermüll, der wird extra gesammelt! Ein irrer Aufwand, wenn Sie mich fragen! Und auf der anderen Seite fahren wir jeden Schritt mit dem Auto: Papi mit seinem Jeep, Mami mit dem Golf, unglaublich!

Peter Knoll, 39
Wie ziehen demnächst in unser neues, umweltfreundliches Passivhaus* ein. Mit 1,5 Liter Heizöl pro Quadratmeter und Jahr haben wir zu vertretbaren Kosten und mit einer Technik, die jedem zugänglich ist, ein gemütliches Heim. Unsere bisherige Wohnung war, trotz höherer Kosten, praktisch nicht warm zu kriegen.

Katrin Markowski, 17
Darüber reden wir doch die ganze Zeit in der Schule, echt ätzend! Ja, also im Ernst: Wir haben uns während unserer Projektwoche intensiv mit der Renaturierung der Emscher beschäftigt. Das war früher mal so ein stinkiger kleiner Fluss im Ruhrgebiet, der wird jetzt naturnah umgestaltet, mit neuem Lebensraum für Tiere und Pflanzen. Und was mache ich im Moment? Ich bin auf einer Umweltveranstaltung! Ich möchte mich informieren, wie unsere Erde noch zu retten ist!

Tobias Gerau, 19
Wenn wir jetzt nichts für die bedrohte Tierwelt tun, ist es für viele Tierarten zu spät. Deshalb sollten wir keine Produkte mehr kaufen, die aus diesen Ländern kommen. Boykott ist die einzige Möglichkeit, wie sich vielleicht noch etwas erreichen lässt!

* Passivhäuser sind zur Sonne hin ausgerichtet und nutzen die Sonnenenergie direkt

Martin Kreschner, 17
Die Einzigen, die in meiner Umgebung etwas für die Umwelt tun, sind meine Großeltern! Seit sie beide Rentner sind, reisen sie viel, aber nur ins europäische Ausland, weil sie da mit der Bahn hinfahren können! Flugreisen halten sie nicht für vertretbar, das belastet die Umwelt, sagen sie. An denen sollten sich unsere Politiker mal ein Beispiel nehmen!

Evelin Klein, 16
Im Winter ist die Heizung bei uns im Wohnzimmer auf 18 Grad eingestellt! Nicht gerade sehr gemütlich, finde ich! Meine Mutter sagt immer, das sei gut auszuhalten, ich soll mir eben noch einen Pullover anziehen, wenn's mir zu kalt ist. Wenn meine Eltern nicht da sind, stelle ich den Thermostat aber schon mal auf 25 Grad!

Bettina Klein, 15
Ich esse überhaupt kein Fleisch. Ich finde es überhaupt eklig, tote Tiere zu essen. Tiere haben genauso ein Recht wie wir auf Leben! Über dieses Thema gibt's ständig Streit zu Hause. Meine Mutter meint, Fleisch aus biologischer Tierhaltung könnte man ruhig essen. Aber ich bin da ganz konsequent!

Theo Mankowski, 68
Durch Sonnenkollektoren auf dem Dach für das Erhitzen von Wasch- und Duschwasser lassen sich die Stromkosten sehr reduzieren. Außerdem habe ich auch die Waschmaschine an die Warmwasserleitung angeschlossen, die über die Sonnenkollektoren läuft.

Bianca Wunder, 36
Wenn ich Kleidung kaufe, achte ich darauf, dass sie von guter Qualität und nicht chemisch behandelt ist. Ich halte nichts von Billigprodukten. Hochwertige Produkte sind doch viel haltbarer als Billigware. Und das bedeutet, dass man Ressourcen schont und auch nicht durch schnell abgelegte Kleidungsstücke die Umwelt belastet.

Maria Schonauer, 16
Meine Mutter kauft nur Biolebensmittel. Sie erzählt uns dann immer, dass sie ohne Chemikalien wachsen und deshalb viel gesünder sind! Außerdem werden die gewöhnlich in der Region angebaut, brauchen also nicht so viel Energie für den Transport. Ich darf's ihr gar nicht sagen, wenn ich bei McDonalds esse! Allein schon der Gedanke wäre ihr unerträglich!

b Welche Aktivitäten für die Umwelt findest du realistisch, welche nicht?
Welche Maßnahmen finden auch in eurem Land Anwendung?
Sprecht darüber in der Klasse.

GR3 *lässt sich, ist ... zu, -bar* (Passiversatz)

Wie lauten die folgenden Sätze in den Texten oben (sie stehen dort mit den Formen *sich lassen zu, ist ... zu, -bar*)?

Das ist die einzige Möglichkeit, wie vielleicht noch etwas erreicht werden kann.	sich lassen (+ Infinitiv)
Es kann umweltpolitisch nicht akzeptiert werden.	ist (nicht) ... zu (+ Infinitiv)
Mit Kosten, die man vertreten kann, haben wir ein gemütliches Heim.	-bar

Suche weitere Beispiele für den Passiversatz in den Texten und forme sie um.

B5 Interview mit den Umweltaktivisten Tanja (16) und Simone (17)

1–5 2

Hör den Text und löse die Aufgaben.

1 Warum ist Tanja Umweltaktivistin bei Greenpeace geworden?
 a Um sich über die Aktionen von Greenpeace zu informieren.
 b Sie wollte schon immer für Greenpeace arbeiten.
 c Weil sie andere Leute informieren möchte.

2 Was möchte Simone durch ihre Arbeit für Greenpeace den Leuten vermitteln?
 a Dass man Umweltaktionen vorher gut planen muss.
 b Jeder kann mit kleinen Dingen etwas zum Umweltschutz beitragen.
 c Man muss jeden Tag für den Umweltschutz kämpfen.

3 Was macht man als Umweltaktivist zum Beispiel?
 a Man demonstriert gegen die Fischer.
 b Man erklärt, welche Tiere vom Aussterben bedroht sind.
 c Man informiert, welche Nahrungsmittel am gesündesten sind.

4 Wie reagieren die Leute auf die Aktionen der Umweltaktivisten?
 a Die meisten möchten noch mehr Informationen haben.
 b Manche versprechen, später wiederzukommen.
 c Einige sagen, sie hätten keine Zeit.

5 Was gehört zu einer Aktion?
 a Am Anfang wird das Material bestellt.
 b Man geht in die Stadt und sucht einen geeigneten Ort.
 c Es kostet viel Mühe, alle Leute zu informieren.

6 Wie fühlen sich die beiden Mädchen?
 a Sie finden es deprimierend, wenn die Leute desinteressiert sind.
 b Es ist ihnen egal, wie die Leute reagieren.
 c Sie haben keine Lust, dasselbe immer wieder erklären zu müssen.

7 Gibt es bei den Aktionen auch Probleme?
 a Es passiert nie etwas.
 b Oft sind die Leute sehr unfreundlich.
 c Es gibt auch unangenehme Vorkommnisse.

8 Wie beurteilt Tanja ihre Arbeit bei Greenpeace?
 a Sie gefällt ihr noch besser als ihre Mitgliedschaft bei den Pfadfindern.
 b Sie findet sie etwas anstrengend, weil sie weniger mit ihren Freunden unternehmen kann.
 c Sie glaubt, dass sie persönlich viel davon profitiert.

9 Was sagt Simone über ihre Greenpeace-Tätigkeit?
 a Sie ist ihren Eltern zuliebe Aktivistin geworden.
 b Ihr gefallen sowohl die Tätigkeit, als auch der Umgang mit den anderen jungen Leuten.
 c Sie ist von den abenteuerlichen Unternehmungen fasziniert.

10 Glauben die Mädchen, dass ihre Greenpeace-Erfahrungen ihnen später bei der Jobsuche von Nutzen sein können?
 a Simone ist der Meinung, dass sie das Gelernte auch später benutzen kann.
 b Tanja sagt, dass sie später etwas ganz anderes machen wird.
 c Simone glaubt, dass es kaum Arbeitsplätze in diesem Bereich gibt.

C

Freiwilliges Ökologisches Jahr (FÖJ)

Jetzt hab ich wieder Respekt vor der Natur

In einem Hochmoor bei Bremen macht die Abiturientin Ilse Jensen ein Freiwilliges Ökologisches Jahr – das ist ein Angebot für alle, die zwischen Schule und Studium oder Berufsausbildung Zeit haben und etwas für die Umwelt tun wollen.

6–9

a Hör das Interview. Was erfährst du über das Freiwillige Ökologische Jahr? Ergänze die Informationen.

FÖJ: Was ist das?
Wer kann teilnehmen?
Dauer
Praktische Tätigkeiten (mindestens 2)
Anzahl der Bewerber:
Anzahl der Stellen:

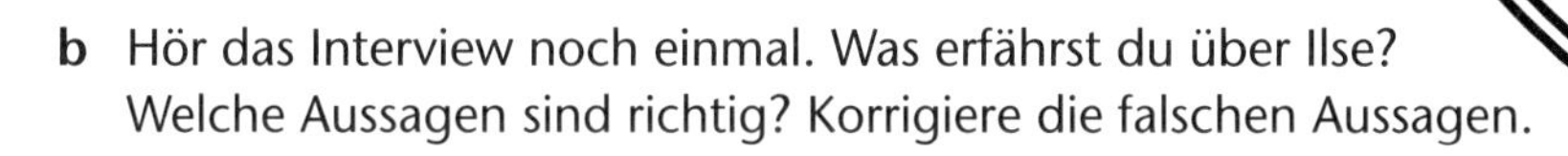

b Hör das Interview noch einmal. Was erfährst du über Ilse? Welche Aussagen sind richtig? Korrigiere die falschen Aussagen.

1 Ilse war schon immer sehr naturverbunden.
2 Ilse hat sich für das FÖJ entschieden, weil sie noch keine konkreten Berufsvorstellungen hatte.
3 Ilses Elternhaus ist nur 20 Kilometer vom Moorgebiet entfernt, wo sie jetzt arbeitet.
4 Zusammen mit einer anderen FÖJ-lerin hat sie im Dorf eine Wohnung gemietet.
5 Obwohl Ilse im Moor gewöhnlich allein ist, fühlt sie sich nicht einsam.
6 Die Natur unmittelbar erleben und verstehen zu können, begeistert Ilse.
7 Als FÖJ-lerin hat sie eine Reihe von Ausgaben, die sie vom Taschengeld nicht decken kann.
8 Ilse weiß jetzt, was sie später beruflich machen möchte.
9 Sie ist der Meinung, dass sich das FÖJ für sie gelohnt hat.

c Berichte mithilfe deiner Notizen aus a, was ein FÖJ ist.

d Was denkt ihr über das FÖJ? Gibt es etwas Ähnliches auch bei euch? Was würdet ihr von einem Obligatorischen Ökologischen Jahr halten? Sprecht darüber in der Klasse.

D Der Weltuntergang

Franz Hohler wurde 1943 geboren und lebt als Kabarettist und Schriftsteller in Zürich. Er gehört innerhalb der Schweiz zu den renommiertesten Kabarettisten. Seine Lieder und Chansons wie „Der Weltuntergang" haben ihn weit über den Kreis derer berühmt gemacht, die sich für das Kabarett interessieren.

a Was versteht ihr unter dem Begriff „Weltuntergang"? Sammelt eure Ideen an der Tafel.

b Lies den ersten Teil des Gedichts. Wie kommt es zum Untergang der Welt? Erzähle wie im Beispiel. Nimm dazu die Wörter im Kasten.

Weil der Käfer weg war, hatte der Vogel keine Nahrung mehr.

Käfer ▪ Vogel ▪ Überschwemmungen ▪ Fischmehl ▪ Zerstörung der Ozonschicht ▪ Pestizide ▪ Hühner ▪ Quecksilber ▪ kleiner Fisch ▪ Insekten ▪ Kohlenstaub ▪ Mais ▪ großer Fisch ▪ Stichling ▪ Erwärmung der Atmosphäre ▪ Eisschmelze

Der Weltuntergang

Der Weltuntergang
meine Damen und Herren
wird nach dem, was man heute so weiß
etwa folgendermaßen vor sich gehn:

5 Am Anfang wird auf einer ziemlich kleinen
Insel im südlichen Pazifik
ein Käfer verschwinden
ein unangenehmer
und alle werden sagen
10 Gott sei Dank ist dieser Käfer endlich weg
dieses widerliche Jucken, das er brachte
und er war immer voller Dreck.

Wenig später werden die Bewohner dieser
Insel merken
15 dass am Morgen früh
wenn die Vögel singen
die Stimme fehlt
eine hohe, eher schrille
wie das Zirpen einer Grille
20 die Stimme jenes Vogels, dessen Nahrung,
es ist klar
der kleine, dreckige Käfer war.

Wenig später werden die Fischer dieser Insel
bemerken
25 dass in ihren Netzen
eine Sorte fehlt
jene kleine, aber ganz besonders zarte, die –
hier muss ich unterbrechen und erwähnen
dass der Vogel mit der eher schrillen Stimme
30 die Gewohnheit hat oder gehabt haben wird
in einer langen Schlaufe auf das Meer hinaus
zu kehren
und während dieses Fluges seinen Kot zu ent-
leeren
35 und für die kleine, aber ganz besonders zarte
Sorte Fisch war dieser Kot
das tägliche Brot.

Wenig später werden die Bewohner des
Kontinents
40 in dessen Nähe die ziemlich kleine Insel im
Pazifik liegt
bemerken, dass sich überall
an den Bäumen, auf den Gräsern, an den
Klinken ihrer Türen
45 auf dem Essen, an den Kleidern, auf der Haut

und in den Haaren
winzige schwarze Insekten versammeln
die sie niemals gesehen
und sie werden's nicht verstehen
50 denn sie können ja nicht wissen
dass die kleine, aber ganz besonders zarte
Sorte Fisch
die Nahrung eines größeren, gar nicht zarten Fisches war
55 welcher seinerseits nun einfach eine andre
Sorte jagte
einen kleinen, gelben Stichling[1] vom
selben Maß
der vor allem diese schwarzen Insekten fraß.

60 Wenig später werden die Bewohner Europas
also wir
merken, dass die Eierpreise steigen
und zwar gewaltig
und die Hühnerfarmbesitzer werden sagen
65 dass der Mais
aus dem ein Großteil des Futters für die Hühner
besteht
vom Kontinent
in dessen Nähe die ziemlich kleine Insel im
70 Pazifik liegt
plötzlich nicht mehr zu kriegen sei
wegen irgendeiner Plage von Insekten
die man mit Giften erfolgreich abgefangen
nur leider sei dabei auch der Mais
75 draufgegangen.

Wenig später
jetzt geht es immer schneller
kommt überhaupt kein Huhn mehr auf den
Teller.

80 Auf der Suche nach Ersatz für den Mais im
Hühnerfutter
hat man den Anteil an Fischmehl verdoppelt
doch jeder Fisch hat heutzutage halt
seinen ganz bestimmten Quecksilbergehalt
85 bis jetzt war er tief genug, um niemand zu
verderben
doch nun geht's an ein weltweites
Hühnersterben.

Wenig später
90 werden die Bewohner jener ziemlich kleinen
Insel im südlichen Pazifik
erschreckt vom Ufer in die Häuser rennen
weil sie das, was sie gesehen haben, absolut
nicht kennen.
95 Die Flut hat heute
und dazu muss man bemerken
der Himmel war blau und Wind gab es keinen
und der Wellengang war niedrig wie stets bei
schönem Wetter
100 und trotzdem lagen heute Nachmittag
die Ufer der Insel unter Wasser
und natürlich wusste niemand
dass am selben Tag auf der ganzen Welt
die Leute von den Ufern in die Häuser rannten
105 und die Steigung des Meeres beim Namen
nannten.

Wenig später
werden die Bewohner jener ziemlich kleinen
Insel im südlichen Pazifik
110 von den Dächern ihrer Häuser in die Fischerboote steigen
um in Richtung jenes Kontinents zu fahren
wo seinerzeit die Sache mit dem Mais passierte.
Doch auch dort ist das Meer schon meterhoch
115 gestiegen
und die Städte an der Küste und die Häfen, die
liegen
schon tief unter Wasser
denn die Sache ist die
120 man musste das gesamte Federvieh
also sechs Milliarden Stück
vergiftet wie es war
verbrennen
und der Kohlenstaub, der davon entstand
125 gab der Atmosphäre
durch Wärme und Verbrennung schon bis
anhin[2] strapaziert
den Rest.
Sie ließ das Sonnenlicht wie bisher herein
130 ABER NICHT MEHR HINAUS
wodurch sich die Luft dermaßen erwärmte
dass das Eis an den Polen zu schmelzen begann
die Kälte kam zum Erliegen
und die Meere stiegen.

135 Wenig später werden die Leute
die mittlerweile in die Berge flohen
hinter den Gipfeln
weit am Horizont
ein seltsam fahles Licht erblicken
140 und sie wissen nicht, was sie denken sollen
denn man hört dazu ein leises Grollen
und wenn einer der Älteren jetzt vermutet
dass der Kampf der Großen beginnt
um den letzten verbleibenden Raum für ihre
145 Völker
da fragt ein andrer voller Bitterkeit
wie um Himmels willen kam es so weit?

---

[1] Stichling: Fischart
[2] anhin (schweiz.): bis jetzt

c Warum ist wohl der Käfer verschwunden? Was meinst du?

d Lies das Gedicht zu Ende und vergleiche mit deinen Vermutungen.

Tja, meine Damen und Herren
das Meer ist gestiegen, weil die Luft sich
erwärmte
die Luft hat sich erwärmt, weil die Hühner
5 verbrannten
die Hühner verbrannten, weil sie Quecksilber
hatten
Quecksilber hatten sie, weil Fisch gefüttert
wurde.

10 Fisch hat man gefüttert, weil der Mais nicht
mehr kam
der Mais kam nicht mehr, weil man Gift
benutzte
das Gift musste her, weil die Insekten kamen
15 die Insekten kamen, weil ein Fisch sie nicht
mehr fraß
der Fisch fraß sie nicht, weil er gefressen wurde
gefressen wurde er, weil ein anderer krepierte
der andere krepierte, weil ein Vogel nicht mehr
20 flog
der Vogel flog nicht mehr, weil ein Käfer
verschwand
dieser dreckige Käfer, der am Anfang stand.

Bleibt die Frage
25 stellen Sie sie unumwunden
warum ist denn dieser Käfer verschwunden?

Das, meine Damen und Herren
ist leider noch nicht richtig geklärt
ich glaube aber fast, er hat sich falsch ernährt.
30 Statt Gräser zu fressen, fraß er Gräser mit Öl
statt Blätter zu fressen, fraß er Blätter mit Ruß
statt Wasser zu trinken, trank er Wasser mit
Schwefel –
so treibt man auf die Dauer
35 an sich selber eben Frevel.

Bliebe noch die Frage
ich stell mich schon drauf ein
wann
wird das sein?

40 Da kratzen sich die Wissenschaftler meistens in
den Haaren
sie sagen
in zehn, in zwanzig Jahren
in fünfzig vielleicht oder auch erst in hundert
45 ich selber habe mich anders besonnen
ich bin sicher
der Weltuntergang, meine Damen und Herren
hat
schon
50 begonnen.

e Schreibe eine alternative Geschichte: „So wurde der Weltuntergang verhindert."

f Sprecht das Gedicht laut in der Klasse. Achtet dabei auf den Sprechrhythmus und eine passende Betonung.

Regionen

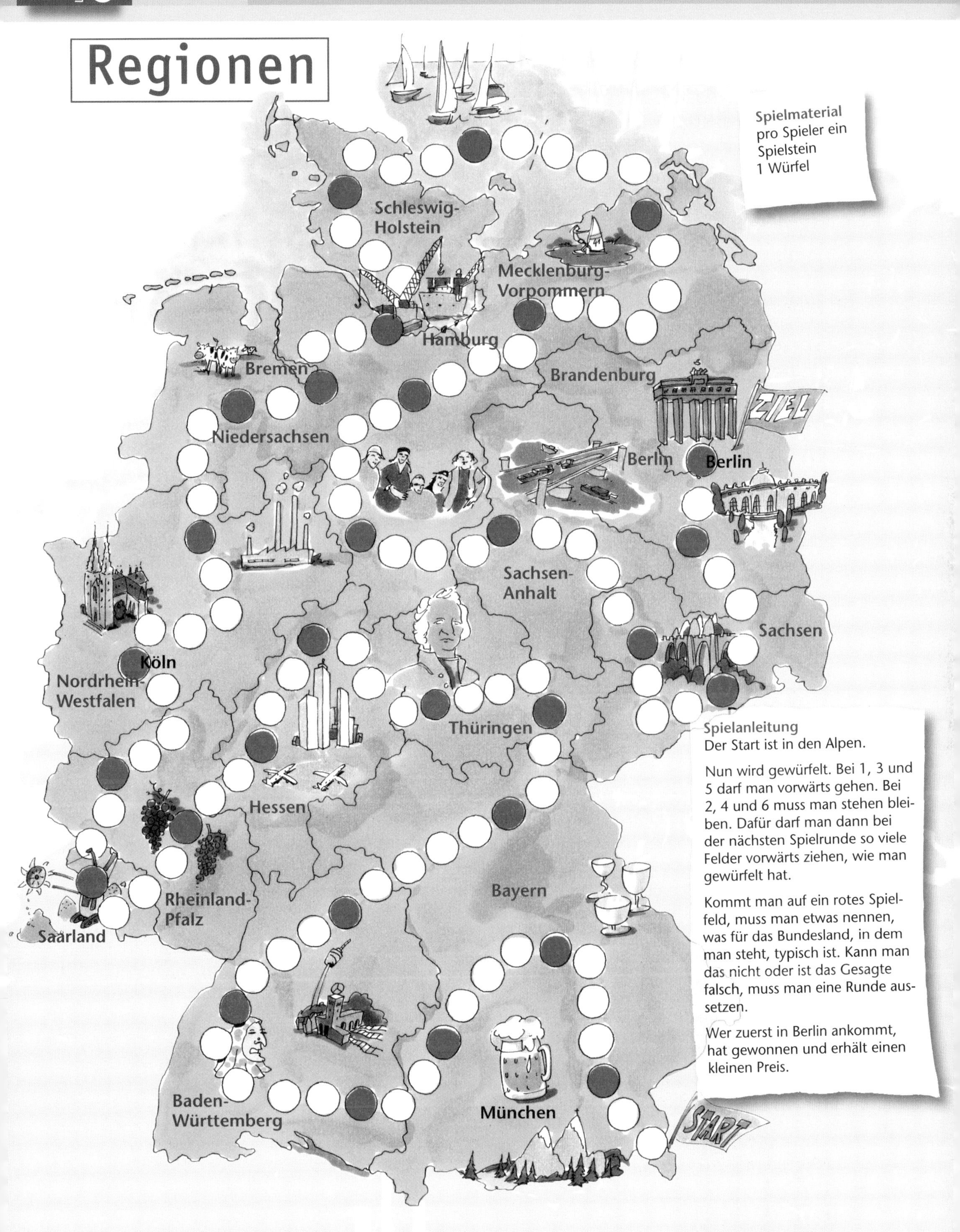

Spielmaterial
pro Spieler ein Spielstein
1 Würfel

Spielanleitung
Der Start ist in den Alpen.

Nun wird gewürfelt. Bei 1, 3 und 5 darf man vorwärts gehen. Bei 2, 4 und 6 muss man stehen bleiben. Dafür darf man dann bei der nächsten Spielrunde so viele Felder vorwärts ziehen, wie man gewürfelt hat.

Kommt man auf ein rotes Spielfeld, muss man etwas nennen, was für das Bundesland, in dem man steht, typisch ist. Kann man das nicht oder ist das Gesagte falsch, muss man eine Runde aussetzen.

Wer zuerst in Berlin ankommt, hat gewonnen und erhält einen kleinen Preis.

A Stadt und Land

A1 Sekt oder Selters?

a Im Internet hast du in einem Schülerforum Beiträge zu diesem Thema gefunden. Lies den ersten Text. Wie wird das Leben in der Stadt beschrieben, wie das auf dem Land? Ergänze das Raster in deinem Heft.

	Stadt		Land	
	Text 1	Text 2	Text 1	Text 2
Unterhaltungsmöglichkeiten				
Einkaufsmöglichkeiten				
Nachbarn				
Sicherheit				
Entfernungen/Verkehrsmittel				
Ernährung				
Natur/Tiere				
persönliche Entwicklung				
Kinder				

Hexy, 17
Ich bin ein Stadtkind und finde es klasse!

Ich wohne in der Stadt, zwar nicht in einer Großstadt, wir haben allerdings zurzeit über 80 000 Einwohner. Und da wären wir auch gleich beim ersten riesengroßen Vorteil: In der Stadt ist wenigstens immer was los und es werden nicht um 18 Uhr die Bordsteine hochgeklappt[1]!
Dort hat man absolut kurze Wege, um seine Besorgungen zu machen. Wenn man einkaufen will, braucht man nicht erst kilometerweit zu fahren, um den nächsten ‚Tante-Emma-Laden'[2] zu erreichen, welcher dann schon um 18 Uhr schließt. In der Stadt braucht man eigentlich nur aus dem Haus zu gehen und mittlerweile kann man bis 22 Uhr einkaufen gehen. Für mich wäre allerdings auch das einsame Landleben nichts … alle 5 Kilometer kommt ein Haus und dazwischen Wiesen, Felder, Wälder und … Kühe! Mal ganz abgesehen von diesem Güllegestank[3] …

Ja ja, ich höre es schon: „In der Stadt stinkt es auch – nach Abgasen!" Richtig! Ist mir aber lieber als dieser Güllegestank. Aber … zurück zum Thema ‚Einsamkeit': Ich lebe! Und das möchte ich auch spüren. Nicht wie auf dem Land, wo man vor Einsamkeit fast sterben könnte. Keine richtigen Nachbarn, keine Gesellschaft (jedenfalls nicht in unmittelbarer Nähe) und auch sonst ist auf dem Land ‚tote Hose' angesagt. In der Stadt hat man eben eine riesengroße Auswahl an Unterhaltung – und für jeden Geschmack ist etwas dabei. Da kann man auch mal einen über den Durst trinken und kann zu Fuß nach Hause laufen – und braucht nicht gleich ein Vermögen fürs Taxi zu bezahlen, das einen erstmal aufs Land zurückbringen muss!

Tja, und zu guter Letzt wäre da noch der Sicherheitsfaktor: Was passiert denn auf dem Land, wenn es brennt oder ein Einbruch begangen wird? Kein Schwein merkt das sofort … ok, die Schweine und Kühe merken es schon. Aber eben keiner, der einem helfen oder Hilfe rufen kann. Wenn man in der Stadt lebt, merken es doch die anderen Nachbarn/Fußgänger usw., wenn mal was nicht stimmt.

Einen Grund gäbe es allerdings, aufs Land zu ziehen: Kinder! Für meine Kinder/Familie würde ich ja alles machen. Und wenn es darum geht, wo Kinder ‚besser' aufwachsen können, hat das Landleben wieder Vorteile. Aber noch bin ich ja Single und habe keine Kinder … von daher: Big City Life!

[1] die Bordsteine werden hochgeklappt: alle Geschäfte sind zu, es ist nichts mehr los
[2] Tante-Emma-Laden: ein kleines Lebensmittelgeschäft mit persönlicher Bedienung
[3] Güllegestank: Geruch von Ausscheidungen von Tieren

b Berichte, was „Hexy" über das Leben in der Stadt und auf dem Land sagt.

Sie findet ... / Sie beschreibt ... als sehr ... / Ihrer Meinung nach ist ...
Sie hält ... für ... / Von ... hält sie gar nichts/nicht viel

c Lies den zweiten Text.
Worauf legt „Gänseblümchen" Wert, worauf nicht? Ergänze das Raster in deinem Heft.
Vergleiche mit der Aussage des ersten Mädchens.

Ihr gefällt das Leben auf dem Land, auch wenn .../obwohl ...
In der Stadt ..., auf dem Land dagegen
Im Gegensatz zur Stadt ist es auf dem Land ...

Gänseblümchen, 16
Ich liebe einfach das Leben auf dem Land!

Dafür gibt es natürlich einen ganzen Haufen Gründe. Die Luft ist besser, auch wenn's mal nach Gülle müffelt. Auf dem Land lebt es sich einfach viel naturnaher. Ich bin als Kind auf Bäume geklettert und wusste übrigens schon ganz früh, dass Kühe nicht lila sind. Überhaupt kann man als Kind kaum besser aufwachsen als auf dem Land. Da gibt es Platz ohne Ende, kaum Autos. Man findet immer irgendwo ein Gewässer, an dem man super spielen kann und wo man im Sommer keinen Eintritt zahlen muss, um zu schwimmen.
Klar, als Teenager ist man schon ein wenig gearscht[1], wenn man auf Disco und Citylife steht, aber dafür kann man viele andere Sachen machen. Wo in der Stadt kann man schon eine Party bis morgens um 9 Uhr feiern und dabei die Musik voll aufdrehen?
Und über die Nächte unter dem Sternenhimmel red ich jetzt mal gar nicht – den vermisse ich in der Stadt aber wirklich! Wie viele Leute aus der Stadt fahren extra aufs Land, um Kanutouren zu unternehmen, zu wandern, Radtouren zu machen, zu reiten oder Ferien auf dem Bauernhof zu machen. Und ich bin mit all dem aufgewachsen. Und natürlich mit den frischesten Lebensmitteln direkt vom Bauern. Man bekommt Milch und Eier auch zu ganz unmöglichen Zeiten, weil man sich kennt. Man kann sich auf seine Nachbarn verlassen und findet immer einen, dem man seine Wohnung, Katze oder Kinder anvertrauen kann. In der Stadt rennen zwar Tausende Leute rum, aber man kennt doch keinen wirklich.

Vielleicht finden es auch einige Leute total doof, dass die Infrastruktur auf dem Land nicht so hittig[2] ist, aber auch das hat Vorteile. Man lernt schneller Verantwortung, wenn man weiß, dass man mit dem Bus alleine zur Schule oder anderswohin fahren muss. Natürlich ist ein Bus praktisch, der 24 Stunden um die Uhr alle zwanzig Minuten fährt, aber versuch mal gegen diese Argumente anzukommen, wenn du einen Führerschein machen willst. Da klingt es doch wesentlich überzeugender, dass man seine Eltern nachts nicht mehr aus dem Bett klingeln muss, damit sie einen von der Disco abholen.

[1] man ist ein wenig gearscht: man fühlt sich ein bisschen benachteiligt
[2] hittig: hitverdächtig, toll

d Wie sehen die Jugendlichen in deinem Heimatland das Leben auf dem Land oder in der Stadt? Schreib einen Beitrag für das Schülerforum.

Gehe dabei auf die Punkte ein, die in a genannt werden.

GR1 Modalpartikeln

Modalpartikeln machen die Sprache persönlicher und lebendiger. Sie kommen vor allem in der gesprochenen Sprache vor, aber auch in geschriebenen persönlichen Texten (z. B. in Briefen). Sie haben keine eigene Bedeutung, zeigen aber die Intention und die Gefühle der Sprecher.

	Beispiele	**Verwendung hier**
allerdings	Für mich wäre allerdings auch das einsame Landleben nichts.	Einschränkung
denn	Was passiert denn auf dem Land, wenn es brennt?	interessierte Frage
doch	Wenn man in der Stadt lebt, merken es doch die Nachbarn.	Man erwartet eine positive Antwort, ist aber unsicher.
eben	Man hat eben eine riesengroße Auswahl an Unterhaltung.	Genauso ist es.
eigentlich	Man braucht eigentlich nur aus dem Haus zu gehen.	im Prinzip/grundsätzlich – man erwartet ein *aber*
schon	Als Teenager ist man schon ein wenig gearscht.	Betonung der Aussage; man besteht auf seiner Meinung
ja	Für meine Kinder würde ich ja alles machen.	Wie man sich vorstellen kann.
mal	Versuch mal, gegen diese Argumente anzukommen.	freundliche Aufforderung
übrigens	Ich wusste übrigens schon ganz früh, dass Kühe ...	nebenbei gesagt; kann Anlass sein, sich später näher darüber zu unterhalten

GR2 Indefinites Pronomen *man*

Ab 4500 Einwohner lebt **man** in einer Stadt.
Da braucht **man** nicht gleich ein Vermögen fürs Taxi zu bezahlen, das **einen** aufs Land zurückbringen muss.
Da ist keiner, der **einem** helfen kann.

Nominativ	**Akkusativ**	**Dativ**
man	einen	einem

e Ergänze die Sätze sinngemäß, aber mit deinen eigenen Worten.

Wenn man in der Stadt lebt, ...
Man ist einfach näher bei der Natur, ...
Vielleicht fühlt man sich als Teenager ein bisschen benachteiligt, wenn ...
Man muss früher lernen, Verantwortung zu übernehmen, ...
Wenn man ein eigenes Auto hat, ...

A2 Interview mit einem Jungen vom Bauernhof

10–13

Hör den Text und entscheide, welche Aussagen richtig sind.

1 Warum hält Stefan es für einen Vorteil, dass er auf einem Bauernhof aufgewachsen ist?
   a Weil er mit seinen Eltern zusammenarbeiten konnte.
   b Er konnte immer mit seinen Eltern zusammen sein.
   c Seine Eltern waren da, wenn er sie brauchte.

2 Was bedeutet die Nähe zur Natur für Stefan?
   a Er lernte schon sehr früh reiten.
   b Er erfuhr, wie Leben beginnt und endet.
   c Hunde und Katzen waren seine liebsten Spielzeuge.

3 Was änderte sich, als er aufs Gymnasium in der Stadt ging?
   a Er verlor viel Zeit unterwegs.
   b Er konnte manchmal nicht zum Unterricht gehen.
   c Seine Mutter brachte ihn zur Schule.

4 Wie kommt Stefan zur Unterhaltung oder zum Sport in die Stadt?
   a Er muss ein Taxi nehmen.
   b Er wird von verschiedenen Leuten mitgenommen.
   c Er wird von einem landwirtschaftlichen Bus abgeholt.

5 Welche Arbeiten machte er auf dem Bauernhof?
   a In der Erntezeit sorgte er für die Haustiere.
   b Er lernte, Maschinen zu bedienen.
   c Wenn es nötig war, übernahm er auch Hausarbeiten.

6 Wie sieht heute ein moderner Bauernhof aus?
   a Man arbeitet nur noch nebenberuflich in der Landwirtschaft.
   b Ein großer Teil der Arbeit wird von modernsten Maschinen und Geräten übernommen.
   c Dort arbeiten vor allem Manager, die ein Universitätsstudium absolviert haben.

7 Was sagt Stefan über die Vorurteile über Landwirte?
   a Er glaubt, dass man auf dem Land weniger Möglichkeiten hat, sich zu bilden.
   b Er hält diese Vorurteile für unbegründet.
   c Seiner Meinung nach sieht man nur wenigen Landwirten ihren Beruf an.

8 Welche Möglichkeiten haben Stadtbewohner, das Leben auf dem Land kennenzulernen?
   a Man kann sich in den Ferien über Bauernhöfe informieren.
   b Es gibt spezielle Angebote für Familien mit kleinen Kindern, Ausflüge aufs Land zu machen.
   c Man kann landwirtschaftliche Produkte beim Bauern kaufen.

9 Wie stellt sich Stefan seine Zukunft vor?
   a Wahrscheinlich wird er auf dem Land arbeiten.
   b Er hat Angst, dass es in der Landwirtschaft viele Arbeitslose geben wird.
   c Er weiß noch nicht, welchen Beruf er ergreifen wird.

B Berlin

B1 Buntes Berlin

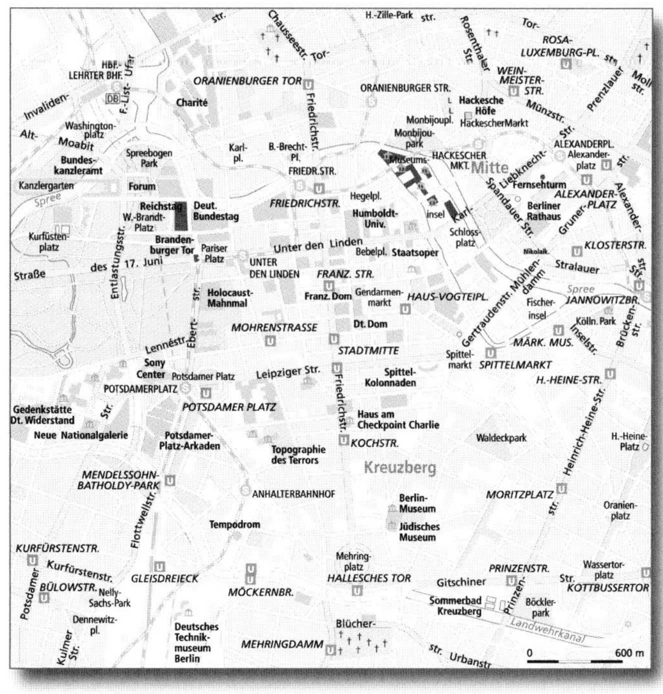

a Was wisst ihr über das moderne Berlin? Sammelt eure Informationen an der Tafel.

b Überfliege den Text und notiere alle Orte bzw. Stadtteile, die im Text vorkommen. Trage sie dann in deinen persönlichen Plan von der Stadt ein.

c Lies den Text und notiere Informationen zu folgenden Themen:

- Aussehen dieses Stadtteils
- Vorurteile und Realität
- Bewohner
- Gründe für den hohen Ausländeranteil
- „fremdartige" Elemente
- Berliner Mauer (früher oder heute)
- Gemeinsamkeiten mit / Unterschiede zu dem Wohnort der jugendlichen Besucher (Brandenburg)
- allgemeine Eindrücke

Drei junge Kreuzbergerinnen laden Jugendgruppen, Schulklassen und Familien aus Brandenburg in ihr Stadtviertel ein.

Zu Hause sind sie vor den Toren Berlins, in einem Ort mit ein paar tausend Einwohnern: Schülerinnen und Schüler der Gesamtschule Petershagen. Mit S-Bahn und U-Bahn dauert es eine Stunde, dann sind die Jugendlichen in einer fremden Welt: in Kreuzberg, einem Stadtteil von Berlin. Hier wohnt die „Multi-Kulti"-Gesellschaft[1]. In Kreuzberg leben 160 000 Menschen aus hundert Nationen. Fast ein Drittel sind Migranten, die meisten von ihnen Türken oder türkischer Herkunft. Darum wird Kreuzberg auch „Klein-Istanbul" genannt.

Keiner der Schüler aus Brandenburg war schon mal hier. Alle haben irgendeine Vorstellung: „Die meisten haben eine andere Religion als wir Europäer", sagt der 15-jährige Falk. „Überall gibt es so Gekritzel an den Wänden", hat die 14-jährige Stefanie im Fernsehen gesehen. Der 16-jährige Michael spielt den starken Mann: „Wenn die mich anmachen und beleidigen, werde ich rabiat[2]."

[1] die „Multi-Kulti"-Gesellschaft – die multikulturelle Gesellschaft (Gesellschaft, in der viele verschiedene Kulturen miteinander leben)
[2] rabiat: wütend

Stadtführerin Nadja führt ihre Schülergruppe ins Kreuzbergmuseum. Vor einem Modell des Stadtteils mit allen Häusern und Straßenzügen 25 erklärt sie den Schülern die Geschichte ihres „Kiez"[3]. In den sechziger Jahren warb Deutschland Arbeitskräfte aus dem Ausland an, die sogenannten „Gastarbeiter".

Die Mieten in Kreuzberg waren niedrig, weil die 30 Wohnungen bei Deutschen nicht so gefragt waren, erläutert Nadja. Denn viele Häuser standen ziemlich nahe an der Berliner Mauer. Ein Teil von Kreuzberg war sogar von drei Seiten von der Mauer umgeben. Nadja berichtet auch von den 35 Studenten, die hier billige Wohnungen suchten. Und von den Hausbesitzern, die ihre Gebäude zerfallen und leer stehen ließen. Damals begann die wilde Zeit der Kreuzberger „Hausbesetzer". Junge Leute zogen gegen den Willen der Besitzer 40 in die leer stehenden Häuser.

Hausbesetzer gibt es heute nicht mehr, dafür aber ein buntes Gemisch von Geschäften, Galerien und Werkstätten. Nadja führt ihre Gäste in einen Spezialitätenladen mit ungewöhnlichen 45 Gewürzen, Gemüse und Obst. Sie verteilt Kichererbsen zum Probieren. So richtig begeistert sind die Brandenburger nicht. „Schmeckt eigenartig", sagen sie.

Um die Ecke, in einem türkischen Männer-Café, 50 gibt es Tee. Falk, Anika und die anderen können sich dort endlich einmal setzen. „Die Teesorten kannte ich nicht", erzählt Stefanie. „Das hat gut geschmeckt, besonders der Apfeltee." Von Nadja hören sie, dass Frauen selten in das Café gehen. 55 Hier treffen sich abends die türkischen Männer, um zu reden, Tee zu trinken oder Brettspiele zu spielen.

Weiter geht's zum Oranienplatz: Dort haben vor drei Jahrhunderten französische Hugenotten[4] 60 gelebt. Sie haben Maulbeerbäume gepflanzt, die heute noch stehen. Der Platz ist so groß, dass Nadja mit ihren Gästen einen türkischen Hochzeitstanz üben kann: Alle fassen sich an und drehen sich zur Musik im Kreis hin und her. Drei 65 Jungs finden das blöd – sie setzen sich lieber auf eine Parkbank. Eine kleine Pause für die Brandenburger, die nach knapp vier Stunden Kreuzberg-Tour ziemlich geschafft sind. Einfach sitzen und sich dort mit Bekannten treffen, das machen 70 auch andere auf dem Oranienplatz – zum Beispiel türkische oder arabische Männer.
Ein paar Meter neben dem Oranienplatz gibt es einen neu gestalteten Park – früher war dort die Berliner Mauer. Einige Reste davon hat man zur 75 Erinnerung im Boden gelassen. Dann erleben die Schüler eine große Überraschung: Pferde und Ziegen mitten in der Großstadt. Sie gehören zu einem Kinderbauernhof, den es bereits seit Jahrzehnten gibt, mitten zwischen alten Häusern.

80 Von hier geht es in eine Moschee[5]: Ein altes Hinterhofhaus, das von außen wie alle anderen Gebäude aussieht. Innen befinden sich ein paar Meter hohe Räume. Die Schüler müssen ihre Schuhe ausziehen, bevor sie den Raum betreten. Innen 85 darf nur leise gesprochen werden, denn hier treffen sich einige Männer zum Gebet. Nadja und eine türkische Freundin erklären die Sitten und Gebräuche, dann geht es wieder ins Freie.

Letzte Station ist ein türkisches Restaurant. Es 90 liegt nur ein paar Meter von der Hochbahntrasse entfernt, auf der die U-Bahn in Kreuzberg verläuft. Ziemlich hektisch ist es hier: viele Menschen, viele Autos.

Die Brandenburger Schüler ziehen ein Resümee: 95 Michael musste sich nicht vor Angreifern mit Messern in der Hand verteidigen. Und: „Ich dachte, es kommen ständig kleine Kinder an und wollen was von mir, aber das war gar nicht so", meint er. Und Falk meint: „Die leben doch so wie 100 wir." Anika hatte noch ganz andere Leute erwartet: „Ich dachte, in Kreuzberg laufen ganz viele Punks herum." Aber das war vielleicht vor 10 oder 15 Jahren so. Toll findet sie die großen alten Häuser. „Bei uns gibt es nur Einfamilien- und 105 Reihenhäuser." Oliver fand den Park neben dem Oranienplatz interessant. Er möchte gerne mit Freunden wiederkommen, um sich alles noch einmal in Ruhe anzuschauen.

---

[3] der Kiez: Begriff für „das Stadtviertel" in Berlin
[4] Hugenotten: Protestanten, die in der Zeit der Religionskriege im 17. Jahrhundert wegen ihres Glaubens aus Frankreich vertrieben wurden
[5] die Moschee: Gebetshaus der Muslime

d Würdest du die Stadt gern besuchen? Warum (nicht)?

GR3 Lokale Angaben

wo?	wohin?	woher?
in einem Ort	ins Kreuzbergmuseum	aus Brandenburg

Lokale Präpositionen
- mit Dativ (wo?) oder Akkusativ (wohin?):
  an – auf – in – neben – vor– zwischen – hinter – über – unter
- mit Dativ: bei – zu

e Ergänze die Tabelle in deinem Heft mit präpositionalen Ausdrücken aus dem Text.

f Ergänze folgende Sätze nach dem Text:

In Kreuzberg ...
Die Jugendlichen möchten Tee trinken und setzen sich ...
Gleich neben dem Oranienplatz ...
Ein Kinderbauernhof ist ...
Die Jugendlichen gehen auch ... So heißt das Gebetshaus der Muslime.
Oliver möchte noch einmal ... kommen, um sich alles in Ruhe anzusehen.

B2 Was ist cool an Berlin und was gefällt dir nicht?

Hör die Interviews mit jungen Berlinern. Welche Aussagen sind richtig? (Es kann auch zwei falsche oder zwei richtige Aussagen geben.) Korrigiere die falschen Angaben.

1 Jasmin findet, dass
  a die Menschen in Berlin sehr aufgeschlossen sind und die anderen so akzeptieren, wie sie sind.
  b man sich in Berlin sicher fühlen kann.

2 Malte gefällt es, dass
  a Berlin eine längere Geschichte hat als andere Städte.
  b er sich mit anderen Jugendlichen über Probleme austauschen kann, die die Stadt betreffen.

3 Frederick
  a mag besonders die internationale Atmosphäre in Berlin.
  b meint, dass die öffentlichen Verkehrsmittel nicht ausreichen.

4 Corinna
  a ist nicht zufrieden mit den Wohnverhältnissen.
  b ist der Meinung, dass die Menschen in Berlin viel miteinander streiten.

5 Nicole kritisiert, dass
  a die Verantwortlichen sich nicht genug um die Umwelt kümmern.
  b es in großen Städten viel Kriminalität gibt.

6 Johannes findet es positiv, dass
  a Berlin jungen Leuten gute Berufschancen bietet.
  b es dort viel Grün gibt.

B3 Die Geschichte Berlins

a Was wisst ihr über die Geschichte der Stadt? Sammelt die Informationen an der Tafel.

b Was bedeuten die markierten Ausdrücke? Klärt ihre Bedeutung mithilfe eines Lexikons oder des Internets.

c Lies den Text und notiere alle Zeitangaben.

Von der Siedlung zur Stadt

Die beiden frühesten Siedlungen von Berlin waren Cölln und Berlin, die beide im 13. Jahrhundert gegründet wurden. 1307 schlossen sie sich zu einer Stadt zusammen.
Im 15. Jahrhundert erklärte Kurfürst Friedrich II. die Doppelstadt zu seiner Residenz. Sie erhielt neue
5 wirtschaftliche, künstlerische und geistige Impulse. Die Einführung der Reformation begann 1514 in Berlin-Cölln und Spandau. Im darauf folgenden Jahrhundert leitete Kurfürst Friedrich Wilhelm (1640–1688) den Aufstieg der Stadt ein, nachdem Berlin durch den Dreißigjährigen Krieg (1618–1648), Brände und die Pest furchtbare Rückschläge erlitten hatte. Erste Prachtbauten wurden in Berlin angelegt, zum Beispiel die heutige Straße „Unter den Linden".

10 Residenzstadt und rasantes Wachstum

1701 wurde das Königreich Preußen gegründet, sein erster König war Friedrich I. Während seiner Regierungszeit begann der Ausbau Berlins zur königlichen Haupt- und Residenzstadt. Namhafte Architekten schufen zahlreiche
15 bekannte Bauwerke. Vor allem unter König Friedrich II. „dem Großen" wurden Kunst und Kultur, Wissenschaft und Forschung gefördert. Berlin entwickelte sich zu einem Zentrum der Aufklärung.

Hauptstadt des Deutschen Reichs

20 Als 1871 das Deutsche Reich gegründet wurde, lebten über 800 000 Menschen in Berlin. Wilhelm I., der 1861 bis 1888 König von Preußen war, wurde zum Deutschen Kaiser gekrönt. Berlin wurde zur Hauptstadt des Deutschen Reichs und 1895 lebten hier weit über eineinhalb Millionen Einwohner. 1918, nach dem Ende des Ersten Weltkriegs, ging der letzte deutsche Kaiser Wilhelm II. ins Exil.

Nach dem Ende des Ersten Weltkriegs wurde die Republik
25 ausgerufen. Das Land und die Hauptstadt stürzten in eine tiefe politische Krise. Aber trotz schwieriger wirtschaftlicher Bedingungen und revolutionärer Unruhen blühte in den Zwanzigerjahren das kulturelle Leben. Innovative Theaterinszenierungen, glanzvolle Filmpremieren, tempo-
30 reiche Varietés und das unvergleichliche Nachtleben prägten die „Golden Twenties" in Berlin.
1933 wurde Adolf Hitler Reichskanzler, es begann die Verfolgung von Juden, Kommunisten, Homosexuellen, Oppositionellen und vieler anderer. Das war das dunkelste
35 Kapitel der Stadt.

1936 fanden in Berlin die XI. Olympischen Sommerspiele statt und nur wenige ahnten etwas vom Größenwahn Hitlers. Als am 1. September 1939 der Zweite Weltkrieg begann, hatte Berlin über 4,5 Millionen Einwohner. 1943 begannen die Luftangriffe auf die Stadt, bei denen bis zur Kapitulation am 8. Mai 1945 fast ein Drittel der Wohnungen und viele der historischen Bauten zerstört wurden.

40 WIEDERAUFBAU UND TEILUNG

Nach dem Ende des Zweiten Weltkriegs war die Stadt 1945 ein Trümmerfeld. Die Bevölkerungszahl hatte sich fast halbiert. Die vier Siegermächte teilten das Stadtgebiet unter sich auf: die Sowjetunion kontrollierte den Osten, die USA den Südwesten, Großbritannien den Westen und Frankreich den Nordwesten.
45 Ab dem 25. Juni 1948 wurden die drei westlichen Sektoren von der Sowjetunion blockiert. Die Alliierten halfen der Stadt mit einer Luftbrücke, sodass die Blockade Berlins am 12. Mai 1949 nach fast einem Jahr zu Ende ging. Durch die Gründung der Deutschen Demokratischen
50 Republik am 7. Oktober 1949 wurde Ostberlin Hauptstadt und Regierungssitz der DDR. Aber immer noch konnten die Berliner ohne Probleme in den Westteil von Berlin gehen, zum Beispiel, um dort zu arbeiten.

55 Durch die am 13. August 1961 gebaute Mauer wurde die Stadt in zwei Teile geteilt. Jetzt konnten die Ostberliner weder zur Arbeit noch zu ihren Familienangehörigen in den Westen der Stadt fahren. Ein Passierscheinabkommen wurde erst nach
60 dem Besuch von John F. Kennedy im Jahre 1963 geschlossen.

MAUERFALL UND WIEDERVEREINIGUNG

In der Nacht des 9. November 1989 wurde die Berliner Mauer geöffnet, nachdem schon mehrere Monate lang
65 DDR-Bürger über Ungarn und die CSSR in den Westen geflohen waren. Die ganze Stadt feierte!

Mit der deutschen Wiedervereinigung am 3. Oktober 1990 wurde Berlin auch
70 wieder Hauptstadt Deutschlands. Seit 1999 ist die Stadt wieder Sitz der Bundesregierung und damit das Zentrum der deutschen Politik.

d Ordne die Ereignisse den Zeitangaben zu und bilde Sätze wie im Beispiel.
Welches Ereignis in der Geschichte der Stadt hat euch am meisten beeindruckt?
Sprecht darüber in der Klasse.

Im 13. Jahrhundert wurden Cölln und Berlin gegründet.

Zeitangaben	Ereignisse
Im 13. Jahrhundert	Gründung des Deutschen Reichs
Im 15. Jahrhundert	Bau der Berliner Mauer
Im 16. Jahrhundert	Zerstörung von Berlin durch Krieg, Feuer und Pest
Im 17. Jahrhundert	Gründung von Cölln und Berlin
Im 18. Jahrhundert	Wiedervereinigung Deutschlands
1871	Verlegung der Regierung von Bonn nach Berlin
In den Golden Twenties	Beginn des Zweiten Weltkriegs
1936	Innovative Inszenierung von Theaterstücken und Filmen
1.9.1939	Wiederaufbau und Teilung Deutschlands
8.5.1945	Berlin: Residenz des Kurfürsten
Nach 1945	Öffnung der Berliner Mauer
13.8.1961	Einführung der Reformation
9.11.1989	Ende des Zweiten Weltkriegs
3.10.1990	Errichtung vieler bekannter Bauwerke
1999	Durchführung der Olympischen Spiele

e Schreibe die Geschichte deiner Stadt.

GR4 Temporale Angaben (2)

f Ergänze die Tabelle in deinem Heft mit Ausdrücken aus dem Text.

Jahreszahlen	*Angaben mit Präposition*	*Adverb*	*Nebensatz*
1307	*im 13. Jahrhundert*	*jetzt*	*nachdem Berlin ... erlitten hatte*

C Poesie in der Stadt

a Lesen die Menschen in eurer Heimat Gedichte? Warum (nicht)? Wo kann man Gedichte finden? Sprecht darüber in der Klasse.

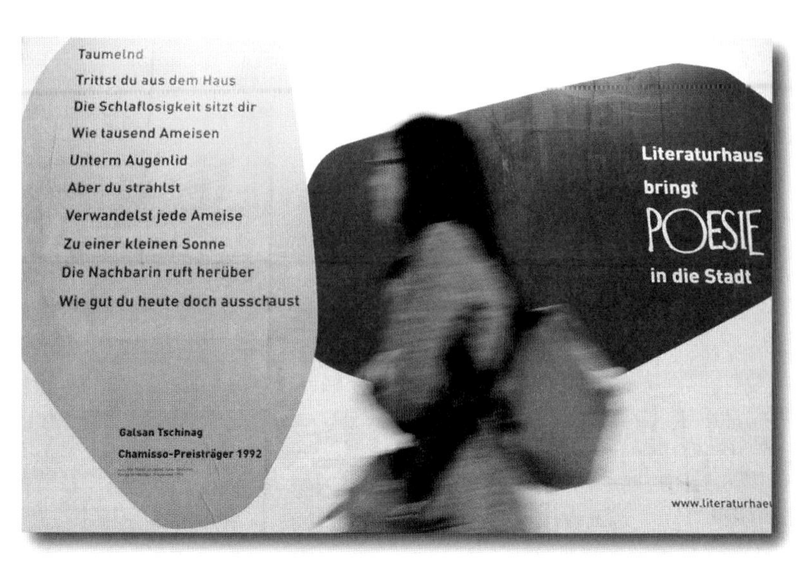

b Seit 2000 werden in verschiedenen Großstädten Deutschlands Lyrik-Großplakate im gesamten Stadtgebiet aufgehängt. Wo sonst Werbeplakate die Aufmerksamkeit der Passanten auf sich ziehen möchten, laden im Juli und August Gedichte zum Verweilen und Lesen ein. In einem Jahr sorgte Poesie von Kindern und Jugendlichen für Aufmerksamkeit.

Lies die drei Gedichte. Welches gefällt dir am besten?

frieren
zuerst da die rolltreppenstufen
auch dazwischen kinderrufen
hundekot zeitung schrill lachen
bitte achten sie auf ihre wertsachen
erotikmesse sony blumiger balkon u.
laut taube der beamte u. du
tief in der spiegelung der straße
anders aber immerzu

Laetitia Eskens (17 Jahre)

Herbst

Musik erklingt.
In ihrem Rhythmus tanzen Blätter.
Es ist ein stürmischer, froher Tanz.
Die Blätter begrüßen den Herbst.
Ich möchte ein Autogramm vom Herbst besitzen.
Es soll gelb, grün und rot sein.
Ich hebe ein buntes Blatt vom Boden auf.
Zu Hause zeige ich es stolz herum.

Lilly Bacher (12 Jahre)

stadtjazz
der morgen taumelt durch die gassen
räkelt sich auf nackter haut
belächelt yuppiedachterrassen
auf multikultihochhausbauten
hangelt sich am backstein lang
umrankt galant das regenrohr
stimmt dann – geschmack geruch und klang –
des tages erste akkorde an:
stressig – lässig – beständig warm und satt
die jazzigen soli – der charme der stadt

Jan Overbeck (17 Jahre)

c Schreibt in Partnerarbeit ein Gedicht für eure Stadt.

Sucht und Abhängigkeit

Schaut euch die Fotos an. Was ist hier dargestellt?

Was glaubt ihr: Welche haben etwas mit „Sucht" zu tun?
Sprecht darüber in der Klasse.

A Rauchen

A1 Rauchen ist tödlich!

Schülerposter im Otto-Hahn-Gymnasium in Göttingen

Einen Raucher zu Küssen ist, wie einen Aschenbecher zu

Lecken!!!

Neues Auto: 40.000 €

Neues Haus: 500.000 €

Neue Lunge: unbezahlbar

„Wie werde ich meinen Sohn los?"

„Hier nimm die Zigaretten!"

Passiv rauchen ist fast genauso gefährlich, wie selber rauchen!!!

Beschreibt die Poster.
Wie findet ihr sie? Glaubt ihr, dass sie dazu beitragen können, die Schüler von der Gefährlichkeit des Rauchens zu überzeugen? Diskutiert darüber in der Klasse.

Das Poster oben/unten/rechts/links zeigt ...
Auf dem Poster ist ... dargestellt/steht/ist ... zu lesen
Ich glaube (nicht), dass ...
Zwar ..., aber ...
Einerseits ..., andererseits / Auf der einen Seite ..., auf der anderen Seite
Es stimmt schon, dass ..., aber ...
Kann/Mag sein, aber ...

A2 Was hältst du vom Rauchverbot an Schulen?

a Lies, was ein paar Schüler des Göttinger Gymnasiums dazu sagen.
Welche Schüler äußern sich positiv zum Rauchverbot, welche skeptisch bzw. negativ? Notiere die Argumente der Schüler.

Das Rauchverbot in der Schule finde ich auf jeden Fall positiv. Aber man sollte nicht nur verbieten, sondern auch aufklären. Aber nicht die Lehrer, weil die Schüler die oft nicht ausstehen können. Man könnte Spezialisten in die Schule einladen, die dann sowohl über die Gefahren des Rauchens informieren als auch besonders abschreckende Beispiele von Süchtigen zeigen.
Stefan, 17

Ich finde es gut, dass an den Schulen nicht geraucht werden darf. Es ist vor allem eine Entlastung für die Nichtraucher an der Schule, die somit nicht vom Zigarettenrauch gestört werden.
Frederik, 16

Einige Schüler waren sehr überrascht, als sie in einem Vortrag hörten, wie negativ sich das Rauchen sowohl auf die Gesundheit, als auch auf das äußere Erscheinungsbild auswirkt. Solche Folgen sind zum Beispiel Lungenkrebs, Raucherhusten, eine schlechte Haut (z. B. Akne) usw. So versteht man leichter, wie wichtig ein Rauchverbot ist.
Annette, 17

Meiner Meinung nach ist die ganze Raucherkampagne umsonst, denn man erreicht höchstens eine Veränderung des Ortes. Statt zu Hause oder auf dem Schulhof zu rauchen, raucht man jetzt eben auf der Straße. Weder die Vorträge noch die Verbotsschilder werden Kettenraucher von ihrem Laster abbringen.
Theo, 16

Das Rauchverbot in der Schule ist im Prinzip zwar in Ordnung, aber ich finde, die Lehrer sollten auch nicht rauchen, denn sie dienen den Schülern als Vorbild. Man könnte außerdem eine Selbsthilfegruppe für die Leute eröffnen, die aufhören wollen, denn zusammen ist man stärker!
Carolina, 16

Das Rauchverbot in der Schule bringt meines Erachtens gar nichts! Dann raucht zwar niemand mehr auf dem Schulgelände, aber vor der Schule wird trotzdem geraucht. Eigentlich dürfen nur die Schüler ab 18 das Schulgelände verlassen und auf die Straße gehen, aber daran hält sich fast niemand. Das zeigt wieder mal ganz deutlich, dass Verbote allein nicht ausreichen.
Derek, 16

Was heißt schon „Vorbild für jüngere Schüler"! Wenn die Schüler in den unteren Klassen es nicht in der Schule sehen, dann doch sicher in ihrer Freizeit außerhalb der Schule. Es gibt ja sogar Sporttrainer, die rauchen.
Silke, 18

b Welche weiteren Anregungen werden von den Schülern gegeben?

c Schreib einen Beitrag zum Thema „Rauchen" für die Schülerzeitung an deiner Schule. Geh dabei auf folgende Punkte ein und verwende dabei einige Argumente der Schüler, die du besonders überzeugend findest.

- Beschreibe die Situation an deiner Schule.
- Mach Vorschläge, wie man die Schüler am besten von den Gefahren des Rauchens überzeugen könnte.

GR1 Doppelte Konjunktionen

zwar ..., aber / weder ... noch / sowohl ... als auch / nicht nur ..., sondern auch

d Schreib die entsprechenden Sätze aus den Texten in dein Heft.

Dann raucht zwar niemand mehr auf dem Schulgelände,
aber auf der Straße wird weitergeraucht.

B

Macht denn alles süchtig?

B1

Bis der Kühlschrank leer ist

a Beschreibt das Bild und die Situation (wer, wann, wo?). Was wird das Mädchen wohl tun? Warum?

A Eva drückte auf den Knopf der Nachttischlampe. Nun war es fast ganz dunkel. Nur ein schwaches Licht drang durch das geöffnete Fenster.
5 Sie war zufrieden mit sich selbst, war richtig stolz auf sich, weil sie es geschafft hatte, das Gerede der Eltern beim Abendessen zu überhören und wirklich nur diesen einen Joghurt zu essen.

10 **B** Wenn sie das zwei oder drei Wochen durchhielte, würde sie sicher zehn Pfund abnehmen. Ich bin stark genug dazu, dachte sie. Bestimmt bin ich stark genug dazu. Das hab ich ja heute Abend bewiesen.
15 Und wenn ich dann erst einmal schlank bin, kann ich ruhig abends wieder etwas essen: Vielleicht Toast mit Butter und dazu ein paar Scheiben Lachs.

C Das Wasser lief ihr im Mund zusammen, als
20 sie an diese rötlichen, in Öl schwimmenden Scheiben dachte. Sie liebte den pikanten, etwas scharfen Geschmack von Lachs sehr. Und dazu warmer Toast, auf dem die Butter schmolz! Nur ein einziges, kleines Stück
25 Lachs könnte nicht schaden, wenn sie Morgen früh sowieso anfing, richtig zu fasten.

D Aber nein, sie war stark! Sie dachte daran, wie oft sie sich schon vorgenommen hatte, nichts zu essen oder sich wenigstens zurück-
30 zuhalten, und immer wieder war sie schwach geworden. Aber diesmal nicht! Diesmal war es ganz anders.
Diesmal würde sie nicht mehr auf dem Heimweg nach der Schule vor dem Delika-
35 tessengeschäft stehen und sich die Nase an der Scheibe platt drücken. Sie würde nicht mehr hineingehen und für zwei Euro Heringssalat kaufen, um ihn dann hastig und verstohlen im Park mit den Fingern in den
40 Mund zu stopfen. Diesmal nicht!

E Und nach ein paar Wochen würden die anderen in der Schule sagen: Was für ein hübsches Mädchen die Eva ist, das ist uns früher
45 gar nicht so aufgefallen. Und Michel würde sich richtig in sie verlieben, weil sie so gut aussah. Bei diesem Gedanken wurde ihr warm. Sie hatte das Gefühl zu schweben, leicht und schwerelos in ihrem Zimmer her-
50 umzugleiten. Frei und glücklich war sie.

F Eine kleine Scheibe Lachs wäre jetzt schön. Eine ganz kleine Scheibe nur, lange hochgehalten, damit das Öl richtig abgetropft war. Das könnte doch nicht schaden, wenn so-
55 wieso jetzt alles gut würde, wenn sie sowieso bald ganz schlank wäre.
Leise erhob sie sich und schlich in die Küche.

G Sie öffnete den Kühlschrank und griff nach der Dose Lachs. Drei Scheiben waren noch
60 da. Sie nahm eine zwischen Daumen und Zeigefinger und hielt sie hoch. Zuerst rann das Öl in einem feinen Strahl daran herunter, dann tropfte es nur noch, immer langsamer. Noch ein Tropfen. Eva hielt die dünne
65 Scheibe gegen das Licht. Was für eine Farbe! Die Spucke sammelte sich in ihrem Mund und sie musste schlucken vor Aufregung. Nur dieses eine Stück, dachte sie.

H Dann öffnete sie den Mund und schob den
70 Lachs hinein. Sie drückte ihn mit der Zunge gegen den Gaumen, noch ganz langsam, fast zärtlich, und fing an zu kauen, auch noch langsam, immer noch genüsslich. Dann schluckte sie ihn hinunter. Weg war er. Ihr
75 Mund war sehr leer.

Hastig schob sie die beiden noch verbliebenen Scheiben Lachs hinein. Diesmal wartete sie nicht, bis das Öl abgetropft war, sie nahm sich auch keine Zeit, dem Geschmack nachzuspüren, fast unzerkaut verschlang sie ihn. (80)

I In der durchsichtigen Plastikdose war nun nur noch Öl. Sie nahm zwei Scheiben Weißbrot und steckte sie in den Toaster. Aber es dauerte ihr zu lange, bis das Brot fertig war. (85) Sie konnte es keine Sekunde länger mehr aushalten. Ungeduldig schob sie den Hebel an der Seite des Gerätes hoch und die Brotscheiben sprangen heraus. Sie waren noch fast weiß, aber sie rochen warm und gut. (90) Schnell bestrich sie sie mit Butter und sah fasziniert zu, wie die Butter anfing zu schmelzen, erst am Rand, wo sie dünner geschmiert war, dann auch in der Mitte.

J Im Kühlschrank lag noch ein großes Stück Gorgonzola, der Lieblingskäse ihres Vaters. (95) Sie nahm sich nicht die Zeit, mit dem Messer ein Stück abzuschneiden, sie biss einfach hinein, biss in das Brot, biss in den Käse, biss, kaute, schluckte und biss wieder. Was für ein wunderbarer, gut gefüllter Kühlschrank. (100) Ein hartes Ei, zwei Tomaten, einige Scheiben Schinken und etwas Salami folgten Lachs, Toast und Käse. Hingerissen kaute Eva, sie war nur Mund.

(105) **K** Dann wurde ihr schlecht. Sie merkte plötzlich, dass sie in der Küche stand, dass das Deckenlicht brannte und die Kühlschranktür offen war.

Eva weinte. Die Tränen stiegen ihr in die Augen (110) und liefen über ihre Backen, während sie mit langsamen Bewegungen die Kühlschranktür schloss, den Tisch abwischte, das Licht ausmachte und zurückging in ihr Bett. Sie zog sich das Laken über den Kopf und erstickte ihr Schluchzen im Kopfkissen. (115)

b Lies den Text und ordne die folgenden Sätze den Textabschnitten A–K zu.

- ☐ 1 Der Anblick des leckeren Essens versetzt sie in Aufregung.
- ☐ 2 Das Bedürfnis zu essen wird immer größer.
- E 3 Eva stellt sich vor, wie ihre Mitschüler sie nach der Schlankheitskur bewundern würden.
- ☐ 4 Eva freut sich, dass sie beim Abendessen nur wenig gegessen hat.
- ☐ 5 Eva genießt das Essen sehr.
- ☐ 6 Schon der Gedanke ans Essen löst bei Eva Verlangen aus.
- ☐ 7 Eva möchte ein paar Kilo abnehmen und dann immer normal essen.
- ☐ 8 Eva kann dem Verlangen zu essen nicht widerstehen.
- ☐ 9 Eva hat schon mehrmals vergeblich versucht zu fasten.
- ☐ 10 Eva wird sich plötzlich bewusst, was sie getan hat.
- ☐ 11 Eva muss immer mehr und immer schneller essen.

c Nach Aussagen von Psychologen ist eine Person süchtig, wenn folgende Verhaltensweisen vorliegen:

- Man kann das Suchtverhalten mit dem Willen nicht mehr beeinflussen.
- Man tut sich und anderen gegenüber so, als würde man weniger Suchtmittel konsumieren.
- Man empfindet es als sehr angenehm, wenn man immer einen größeren Vorrat an Suchtmitteln zur Verfügung hat.
- Man kann sich aus eigener Kraft nicht von seinem Suchtverhalten lösen und wird immer wieder rückfällig.

Gib die Textstellen an, wo solche Verhaltensweisen deutlich werden.

d Was sollte Eva deiner Meinung nach tun? Gib Ratschläge.

Sie sollte/könnte (unbedingt) ...
Ich würde ihr raten ...
Es wäre gut, wenn sie ... würde
An ihrer Stelle würde ich ...
Sie täte gut daran ...
Es wäre am besten / Die beste Lösung wäre ...

B2 Wenn der Bizeps nie groß genug ist …

a Informiert euch im Internet darüber, welche Formen von Sportsucht es gibt. Warum leiden wohl manche Menschen an dieser Sucht, was glaubt ihr?

b Lies den Text. Haben sich eure Vermutungen bestätigt?

Die Zahl der Leute, die in Deutschland ins Fitnessstudio gehen, steigt seit Jahren. Inzwischen sind dort über fünf Millionen Menschen angemeldet. Doch Sportwissenschaftler schlagen Alarm: Ein Teil der Männer übertreibt es offenbar mit dem Muskelaufbau. Die Rede ist von der sogenannten Muskelsucht. Der Begriff stammt von Sportwissenschaftlern aus den USA. Gemeint sind Sportler, die permanent im Fitnessstudio sind, täglich trainieren, aber trotzdem glauben, dass ihr Rücken nicht breit genug, der Bizeps nicht dick genug oder die Bauchmuskeln nicht perfekt sind. „Suchtartig wird es, wenn ich unruhig werde, sobald ich mal einen Tag nicht trainiere oder sogar körperliche Entzugserscheinungen bekomme", beschreibt Thomas Schack, Sportpsychologe an der Uni Bielefeld, den Unterschied zwischen normalem Sport und Sucht.

Auch Jörg Börjesson aus Dorsten war begeisterter Kraftsportler. Irgendwann hat er nur noch fürs Fitnessstudio gelebt: „Ich habe jeden Tag trainiert. Man ist total tunnelartig unterwegs, da sieht man nur Leute, die auch mit dem Training zu tun haben. Ich vergleich das heute mit dem Suchtverhalten einer Essgestörten, die auf 40 Kilo abgemagert ist und sich trotzdem sagt ‚Mensch, ich habe da noch ne Fettfalte!'. Der Kraftsportler sagt sich dagegen, obwohl er schon einen 50-cm-Arm hat: ‚Mensch, mein Bizeps könnte höher sein!'" Wie viele Leute von diesem Phänomen betroffen sind, wird zurzeit erstmals wissenschaftlich untersucht.

Nicht wenige greifen auch zu illegalen Hilfsmitteln wie Anabolika. Diese Tabletten oder Ampullen sollen den Muskelaufbau fördern. Doch die Nebenwirkungen dieser Hormonpräparate sind heftig: Akne, aufgeschwemmte Haut, unterversorgter Herzmuskel und Leberschäden sind nur einige Nebenwirkungen. Die Hormone in den Präparaten können auch die Persönlichkeit verändern, sowohl aggressiv als auch depressiv machen. Da es sich um illegal gehandelte Tabletten und Ampullen handelt, gibt es auch keine Sicherheit, welche Inhaltsstoffe wirklich in den Präparaten enthalten sind.

Die Gründe für die Muskelsucht sind vielfältig. Gesellschaftliche Ideale machen offenbar auch Druck auf viele Männer: „Die wollen einen schönen Körper, eng anliegende Klamotten tragen, um attraktiv für Frauen zu sein", so Sportwissenschaftler Sauer. Und Jörg Börjesson meint: „Denen ist die Körpersprache sehr wichtig. Viele glauben, der andere wird automatisch Respekt haben, wenn ich meinen Bizeps zeige." Börjesson, der jahrelang selber mit Anabolika nachgeholfen hat, ist heute clean. Er will aufklären und tourt deshalb deutschlandweit durch Jugendzentren und Sportstudios. Er will zeigen, wie man auch mit einem gesunden Maß an Training und gesunder Ernährung etwas für sich tun kann.

c Lies die Aussagen unten. Was wird im Text gesagt? Korrigiere die falschen Aussagen. Verwende dabei *weil/deswegen/wegen* bzw. *obwohl/trotzdem/trotz.*

Beispiel: *Wissenschaftler sind beunruhigt, weil manche Männer zu viel Bodybuilding machen.*

1 Wissenschaftler sind beunruhigt, obwohl manche Männer zu viel Bodybuilding machen.
2 Aufgrund ihres übermäßigen Trainings sind viele Sportler nicht mit ihrem Körper zufrieden.
3 Manche Männer müssen täglich zwanghaft trainieren. Trotzdem kann man sie als muskelsüchtig bezeichnen.
4 Esssüchtige, die schon total abgemagert sind, finden sich trotzdem zu dick.
5 Viele Sportler nehmen unerlaubte Hormonpräparate, weil sie damit den Muskelaufbau fördern wollen.
6 Einige Sportler bekommen schwere gesundheitliche Probleme, obwohl sie Hormonpräparate nehmen.
7 Die gefährlichen Hormonpräparate werden illegal gehandelt. Deswegen weiß man nicht genau, welche Stoffe in den Tabletten sind.
8 Wegen der vorherrschenden Schönheitsideale wollen viele Männer einen muskulösen Körper haben.
9 Manche Männer wollen den Frauen imponieren. Trotzdem werden sie muskelsüchtig.
10 Nach Meinung von Börjesson wäre das nicht nötig, obwohl man auch mit normalem Training und gesunder Lebensweise Erfolg hätte.

GR2 Konzessive Angaben mit *obwohl, trotzdem, trotz*

Viele Sportler sind nicht mit ihren Leistungen zufrieden, **obwohl** sie viel trainieren.	Das Verb steht am Ende.
Viele Sportler trainieren viel. **Trotzdem** sind sie nicht mit ihren Leistungen zufrieden. Sie sind **trotzdem** nicht mit ihren Leistungen zufrieden.	*Trotzdem* kann vor oder hinter dem Verb stehen.
Viele Sportler sind **trotz** des vielen Trainings nicht mit ihren Leistungen zufrieden. (in der gesprochenen Sprache besser: trotz dem vielen Training)	*trotz* + Genitiv oder Dativ

B3 Projekt: Anabolika

Sucht Informationen zu folgendem Thema: Was sind Anabolika? Wie wirken diese Stoffe?
Mit welchen Stoffen wird gedopt?
Berichtet über 2–3 aktuelle Dopingfälle.

Stellt die Ergebnisse eurer Recherche in der Klasse vor.

C

Einbahnstraße

C1

So fing es an

Der folgende Text ist aus dem Jugendbuch „Die Einbahnstraße" von Klaus Kordon.

Klaus Kordon

Die Einbahnstraße

Klaus Kordon, 1943 in Berlin geboren und auch dort aufgewachsen, versuchte sich in mehreren Berufen. Er machte das Abitur an der Abendschule, studierte Volkswirtschaft und unternahm Reisen nach Asien und Afrika. Seine Bücher wurden in verschiedene Sprachen übersetzt und erhielten namhafte deutsche und internationale Preise.

a Seht euch das Umschlagbild des Buches an. Beschreibt es und erklärt die Situation.

b Lies den Text. Was sind die wichtigsten Textaussagen? Wähle 5–6 der 10 unten stehenden Aussagen aus, die die wichtigsten Textinformationen wiedergeben, und bring sie in die richtige Reihenfolge.

Herbert und ich standen vor den Büschen, die den Schulhof vom Stadtpark trennen, und schwiegen nachdenklich. Da raschelte es in den Büschen hinter uns. Wir drehten uns um: Ali.
5 Ali war nicht irgendwer, Ali war eine Größe. Eigentlich hieß er Alfred, Alfred Schmidt. Aber schon als wir noch ganz kleine Krümel waren, wurde er nur Ali gerufen. Jetzt war er zwanzig und sah gut aus: schwarzes Haar, buschige Au-
10 genbrauen, kräftiges Kinn. Er grinste und schlug mir auf die Schulter: „Na, Body? Alles okay?"
Wir waren alle seine Bodys, und selbstverständlich war immer alles okay.
Ali ging nicht mehr zur Schule. Er war zweimal sit-
15 zen geblieben und nach der neunten Klasse von der Schule geflogen: Er hatte die kleine Kasse im Schulsekretariat geknackt. Alis Mutter hatte gewollt, dass er trotzdem einen Beruf erlernt: Maler. Doch Ali war nur drei Tage bei seinem Meister ge-
20 blieben, dann hatte er den Pinsel in die Ecke geworfen: „Für die paar Piepen schinde ich mich nicht den ganzen Tag", hatte er gesagt. Was er seitdem machte, ob er irgendwo irgendetwas arbeitete, wusste niemand. Nur, dass er immer Geld
25 hatte, das wussten alle. Alis Mutter arbeitete beim Feinkost-Lehmann. Alis Vater soll Feinkost-Lehmann selber sein. Ob das stimmt, weiß niemand. Die Gerüchte waren aufgetaucht, als der Lehmann versucht hatte, den Sohn seiner Verkäuferin zu er-
30 ziehen. Er hatte es bald aufgegeben. „Ich lasse mir doch nicht auf der Nase herumtanzen", hatte er gesagt, und: „aus dem wird mal ein Gangster". Meiner Mutter hatte er das auch gesagt. Als meine Mutter daraufhin sagte, dass man da doch etwas
35 unternehmen müsse, hatte er gefragt, ob er sich etwa von Ali verprügeln lassen solle. Uns imponierte das alles sehr, für uns war Ali ein prima Kumpel. Es störte ihn nicht, dass wir jünger waren, er behandelte uns nicht von oben herab.
40 Vor zwei Jahren war Ali plötzlich wieder in der Schule aufgetaucht. Um sich mal umzuschauen, wie er gesagt hatte. Zu uns war er nach dem Sportunterricht gekommen. Der Nolte, unser Sportlehrer, war schon gegangen. Ali hatte uns gefragt, ob
45 wir eine Riesenwelle brächten. Dann war er ans Reck[1] gegangen und hatte uns eine gezeigt. Wir waren mächtig beeindruckt gewesen.
Ein halbes Jahr hatte es gedauert, bis wir mitbekommen hatten, weshalb Ali sich in den Pausen
50 auf dem Schulhof herumtrieb, weshalb sein roter Sportwagen in der Nähe der Schule parkte: Ali war Dealer, verkaufte Rauschgift. Keine harten Sachen, mehr das weiche Zeug: Shit[2], LSD, die ganze Pillenpalette.
55 Ich hatte über den langen Zadek von Alis Geschäften gehört. Zadek rauchte Shit. Er war der einzige von Alis Kunden, zu dem ich Kontakt hatte. Wir haben früher gemeinsam Fußball gespielt.
Der Zadek hatte mir von Alis Grundsatz erzählt:
60 keine harten Sachen, kein H[3]. Er fand das toll.
Es war im Stadtpark gewesen, um die Mittagszeit, wir hatten im Gras gelegen. Zadek hatte mir seinen Joint[4] hingehalten und gesagt: „Beim ersten Mal spürst du nichts."
65 Ich hatte tatsächlich nichts gespürt. Wenn mir komisch gewesen war, dann aus Angst.
Herbert und Andy hatten mich fertiggemacht: Ob wir keinen Fernseher hätten, ob ich keine Zeitung lesen würde? Mit Hasch und LSD beginne es, tief
70 unten in der Drogenszene, beim H höre es auf. Ein-

mal auf der harten Droge drauf, komme man nie wieder runter.
Die Schulleitung bekam nichts mit von Alis Aktivitäten. Zwischen Schülern und Lehrern war ein Graben. All die Freundlichkeiten, die miteinander ausgetauscht wurden, waren bloße Politur[5]. Alis Geschäftsprinzip, niemals hartes Dope[6] zu verkaufen, sorgte dafür, dass ihn eine Art Heiligenschein umgab. Sein Name wurde nur noch geflüstert, kam ein Lehrer vorbei, wurde geschwiegen und gegrinst. Wen Ali ansprach, der fühlte sich geehrt. Nur einer hatte von Anfang an einen Bogen um Ali gemacht: Herbert. Für Herbert war Ali eine Art Al Capone. Wir lachten darüber. Man müsse die Welt nehmen, wie sie ist, sagten wir, und Dope gehöre nun mal dazu. Und Ali sei doch wenigstens ein Dealer mit Ehre. Sahen wir im Kino einen Gangsterfilm, kam darin ein abgebrühter[7] Dealer vor, nickten wir: Ali! Wurde der Dealer am Schluss des Films erwischt, grinsten wir: Ali war cleverer!
Wann Ali begonnen hatte, H zu dealen, ist im Nachhinein nicht festzustellen. Ich hatte es mitbekommen, als ich den Zadek im Kino traf. In Erinnerung an unseren gemeinsamen Joint hatte ich gefragt, ob er anschließend wieder einen einpfeifen gehen würde. Der Zadek hatte abgewinkt. „Shit gibt mir nichts mehr."
Er hatte mir eine kleine Pille gezeigt. „Davon habe ich vorhin eine genommen. Nach 'nem geschmissenen Trip ist so'n Film noch mal so schön."
Die Pille war LSD gewesen. Dass der Film dem Zadek gefiel, hatte ich gemerkt. Keiner hatte gelacht, geschrien und sich mit dem Helden geängstigt wie der Zadek. Vor dem Kino war er dann unheimlich still gewesen. „Der Trip ist die vorletzte Station", hatte er gesagt. „Die nächste ist der erste Druck."
Der erste Druck? Heroin? Ich hatte gedacht, der Zadek gäbe an. „Das dealt Ali nicht."
„Meinst du?" Der Zadek hatte gegrinst.
Ich hatte mit Herbert und Andy darüber gesprochen; fortan beobachteten wir Ali genauer – und auch seine Kunden.
Alis Kunden hatten sich verändert. Eiskalt sagten sie, die Schule sei ihnen scheißegal, der Stress kümmere sie nicht mehr. Die Lehrer schickten Briefe an die Eltern, die Eltern kamen in die Schule – Bescheid wusste keiner: nur Ali, nur seine Kunden, nur wir.
Und jetzt ging Ali in seiner neuen Lederjacke an uns vorbei, ging über den Schulhof, sprach mal mit diesem und mal mit dem. Dann sah er Inga. Er ließ sie und Andy an sich vorübergehen und sah ihnen nachdenklich hinterher.

---

[1] Reck: Turngerät
[2] Shit: Haschisch
[3] H: Heroin (engl. Aussprache)
[4] Joint: Haschisch-Zigarette
[5] bloße Politur: nur Schein
[6] Dope: Rauschgift
[7] abgebrühter: sehr harter

1. Ali war bei seinen Schülern anerkannt und beliebt.
2. Der Drogenkonsum veränderte das Verhalten der Jugendlichen.
3. Obwohl die Jugendlichen über Alis Dealer-Tätigkeit Bescheid wussten, erzählten sie den Lehrern nichts davon.
4. Möglicherweise war Herr Lehmann Alis Vater.
5. Schon als Jugendlicher wollte sich Ali bei der Arbeit nicht anstrengen.
6. Der Erzähler und Zadek hatten früher zusammen Fußball gespielt.
7. Trotz seines Drogenhandels galt Ali als prinzipiell anständig.
8. Ali sah gut aus und war sportlich.
9. Im Lauf der Zeit handelte Ali auch mit härteren Drogen.
10. Es imponierte den Jugendlichen, dass Ali sich als Jugendlicher von niemandem etwas sagen lassen wollte.

c Der Text hat zwei Zeitstufen: was früher passiert ist und was jetzt passiert. Notiere alle Angaben über Ali und ordne sie den Zeitstufen zu.

früher	**jetzt** (in der Erzählung)
Ali **war** zweimal **sitzen geblieben.**	Ali **war** Dealer.

GR3 Vorvergangenheit: Plusquamperfekt (Verwendung)

Ergänze die Regeln.

Beispiele	**Regel**
Ali war Dealer und verkaufte Rauschgift.	Man benutzt das Präteritum, wenn man etwas erzählt, was in der ? passiert ist.
Ali war zweimal sitzen geblieben und war nach der 9. Klasse von der Schule geflogen.	Wenn man erzählen möchte, was noch weiter in der Vergangenheit zurückliegt, benutzt man das ? .

d Was sagen Herbert und Andy zum Erzähler, nachdem dieser zum ersten Mal an einer Haschisch-Zigarette gezogen hatte? Notiere ihre Äußerungen.
Beginne mit:
Sie sagten, ... / Sie waren der Meinung, ... / Sie fragten, ...

GR4 Redewiedergabe in der Gegenwart (indirekte Rede)

Formen[1]

	Konjunktiv I		
ich	sei	habe	lese
er/sie/es	sei	habe	lese
wir sie/Sie	seien	haben	lesen

[1] Die Formen *du habest* und *ihr seiet* (2. Person Singular und Plural) werden heute sehr selten verwendet.

Die Konjunktiv I-Formen, die mit dem Präsens identisch sind, werden durch den Konjunktiv II ersetzt:

	Konjunktiv I und II in der indirekten Rede		
ich	sei	hätte	würde lesen
er/sie/es	sei	habe	lese
wir/sie/Sie	seien	hätten	würden lesen

1. Schriftsprache

Sie sagten, von der harten Droge komme man nie wieder runter. Sie waren der Meinung, dass Ali ein Dealer mit Ehre sei.	Konjunktiv I
Sie fragten, ob ich keine Zeitung lesen würde.	Konjunktiv II

2. In der gesprochenen Sprache nimmt man für die Redewiedergabe meistens den Indikativ:
Die Jungen sagten, von den harten Drogen kommt man nie wieder runter.
Sie waren der Meinung, dass Ali ein Dealer mit Ehre ist.
Sie fragten, ob ich keine Zeitung lese.

e Suche weitere Textteile mit Redewiedergabe aus dem Text heraus.

f Wie beurteilt ihr das Verhalten und die Einstellung von Charly und anderen Mitschülern Ali gegenüber? Diskutiert darüber in der Klasse.

C2 Die Einbahnstraße

Der Hörtext ist ein weiterer Ausschnitt aus dem Jugendbuch.

20–23

a Hör den ersten Abschnitt zweimal und beschreibe die Situation mithilfe des Bildes.
Hör dann den ganzen Text und löse die Aufgaben.

1 Warum ist Inga so aggressiv?
- a Sie ist krank und hat Fieber.
- b Sie hat Entzugserscheinungen.
- c Sie will wieder zurück ins Kaufhaus.

2 Wie wollen ihre Freunde Inga helfen?
- a Sie beschließen, Ali um Hilfe zu bitten.
- b Sie wollen zu einem Arzt gehen.
- c Sie überlegen, wie sie am schnellsten Geld verdienen können.

3 In welchem Zustand ist Inga?
- a Sie ist auf der Straße hingefallen und ist verletzt.
- b Sie ist depressiv und reagiert nicht.
- c Sie hat Nasenbluten bekommen und ist blutverschmiert.

4 Was macht Ali, als er die drei Jugendlichen sieht?
- a Er beschimpft sie und schickt sie weg.
- b Er hilft ihnen, in seine Wohnung zu gehen.
- c Er streitet mit ihnen und stößt sie die Treppe hinunter.

5 Wie äußert sich Ingas Verzweiflung?
- a Sie sieht plötzlich sehr alt aus.
- b Sie greift Ali an und schlägt ihn.
- c Sie schlägt ihren Kopf auf den Boden.

6 Wie reagiert Ali auf Ingas Verhalten?
- a Er ist ungerührt von Ingas Zustand und weist sie ab.
- b Er behauptet, dass er im Moment kein Geld habe.
- c Er verspricht Inga, nächstes Mal zu helfen.

b Hör den ganzen Text noch einmal und erzähle die Geschichte schriftlich nach.
Lass dir deinen Text von deinem Lehrer/deiner Lehrerin durchsehen und die Ausdrucksfehler verbessern. Untersucht dann in Partnerarbeit, welche Ausdrucksfehler durch Übersetzung aus deiner Muttersprache entstanden sind, und sammelt diese Fehler an der Tafel.

> **Lesetipp** Ausdrucksfehler vermeiden
> Wenn du auf Deutsch formulierst und nach geeigneten Redemitteln suchst, kann es leicht passieren, dass du die Ausdrücke aus deiner Muttersprache wortwörtlich übersetzt. Dabei entstehen „typische" Fehler, z. B. ein Diplom *nehmen* (statt: *machen*); sich *für* etwas unterhalten (statt: über). Versuche, solche Fehler zu sammeln: systematisch in einem Heft oder auf Karten. Achte auch im Wörterbuch auf die Informationen, die bei dem jeweiligen Wort stehen (Präposition, Kasus, Verbindung mit anderen Ausdrücken usw.). Es hilft auch, wenn du solche Ausdrücke bewusst und häufig verwendest.

c Wie geht es danach wohl mit Inga und den Jungen weiter? Schreibt in Partnerarbeit eine mögliche Fortsetzung und ein Ende der Geschichte.

D

Sport statt Drogen

Runner's High

a Seht euch das Filmplakat an. Wovon handelt der Film wohl? Sammelt eure Ideen an der Tafel.

b Lies die Geschichte von Andreas Niedrig. Haben sich eure Vermutungen bestätigt?

1

„In der Hauptschule suchte ich schon früh den Kontakt zu den Rauchern", berichtet Andreas Niedrig. „Bereits die erste Zigarette vermittelte mir das Gefühl, nicht allein zu sein. Ich konnte mich hinter der Zigarette mit coolem Gehabe verstecken. Ich war gerade 13, der jüngste Raucher in unserer Clique, und fühlte mich als etwas Besonderes." So beschreibt der ehemalige Drogenabhängige in seinem Buch „Vom Junkie zum Ironman" den ersten Kontakt mit einem Suchtmittel. Er sieht die Zigarette als seinen Einstieg in das Drogenleben, denn es blieb nicht dabei. Schon kurze Zeit später kiffte er das erste Mal. Mit 14 kam Koks dazu, und auch LSD probierte er aus. Seine langjährige Abhängigkeit hat der heute 40-Jährige überwunden, unterstützt durch seine Frau Sabine und mithilfe des Leistungssports Triathlon.

Andreas Niedrig mit Familie

2

20 „Ich hatte als 13-Jähriger einfach ein ungutes Gefühl, war immer auf der Suche nach Menschen, die mich in den Arm nehmen", erinnert sich Andreas Niedrig. „Nach Menschen, die bei mir sind in schwierigen Phasen meines Lebens." Mit 18 lernte er einen solchen Menschen kennen: Mit seiner Frau Sabine ist er inzwischen schon mehr als 19 Jahre verheiratet. Von heute auf morgen brauchte er zunächst keine Drogen mehr. „Ich habe das erste Mal in meinem Leben bedingungslose Liebe erfahren. Mir ging's einfach gut."

3

Doch als seine Frau bald darauf schwanger wurde, kamen neue Probleme auf. Zwar hatten sich beide ein Kind gewünscht, doch durch die Schwangerschaft musste Andreas Niedrig Verantwortung übernehmen und war damit total überfordert. Er begann wieder zu kiffen. Als in einer der Haschpfeifen Heroin war, stürzte er in erneute Abhängigkeit. Durch die Droge fühlte er sich selbstbewusster und leistungsfähiger. Das Gefühl kann Niedrig heute nur noch schwer beschreiben: „Es ist eine Selbstzufriedenheit, die man spürt. Man hat alles im Griff. Mit Heroin im Blut habe ich Sabine tagtäglich vermittelt, ich schaffe das. Ich bin der Held. Ich werde die Familie auf den richtigen Pfad bringen."
Ohne zu merken, dass um ihn herum alles auseinanderbrach, habe er den Menschen in seiner Umgebung vorgespielt, alles im Griff zu haben. Dieses Gefühl wollte Andreas Niedrig immer wieder erreichen: „Diese Unruhe, die mich dazu treibt, immer wieder diesen Kick zu suchen, diese Ruhe zu haben, denn die Spritze sitzt im Bauch. Sobald du diesen Kick nicht mehr hast, macht dich das verrückt.

4

Um immer wieder diesen Kick zu bekommen, muss man als Abhängiger in gewisser Weise Top-Manager-Qualitäten besitzen. Er musste nämlich das tägliche Geld für den Heroinkonsum auftreiben, was für Andreas Niedrig etwa 500 Euro am Tag bedeutete. Außerdem musste er seine Familie ernähren. Damals arbeitete er als Berufskraftfahrer. Doch als er seinen Arbeitgeber bestohlen hatte, verlor er seinen Job.
Nebenbei hat er auch andere Geldquellen gefunden: „Ich habe Autos hin und her geschoben. Ich habe Stoff hin und her geschoben, sodass ich wirklich immer Geld hatte. Und wenn das nicht funktioniert, dann nimmt man halt die Knarre und geht ins Geschäft und versucht Kohle zu kriegen."
Am meisten macht Andreas Niedrig heute noch zu schaffen, wie sehr er seine Familie mit in den Sumpf gezogen hat. Während er zu seiner Sucht heute einen gewissen Abstand hat, ist es in diesem Punkt etwas anders. „Gerade bei solchen Dingen habe ich keine Distanz. Ich habe meiner Familie Geld geklaut. Obwohl wir ein Baby im Haus hatten, war es mir egal, ob meine Tochter was zu essen hatte. Ich brauchte einfach die Droge."

5

Nach rund einem Jahr Heroinabhängigkeit setzt Sabine Niedrig ein Ultimatum: Entweder ihr Mann geht in Therapie, oder sie lässt sich scheiden. Dazu kommt, dass ihm die Staatsanwaltschaft vier Jahre Gefängnis androht. Andreas entschließt sich zur Therapie, weil er keinen anderen Ausweg mehr sieht. Nach 14 Monaten kommt er wieder nach Hause und es beginnt ein mühsamer Weg zurück in die Gesellschaft. Unter großen Entbehrungen und mit einem unbändigen Willen schafft er es. Er erlernt den Beruf des Orthopädiemechanikers. In dieser Zeit fängt er auch mit dem Leistungssport an.

6

„Ich hatte das Problem, dass ich vom ersten Tag nach der Therapie meinen Vater schon so ein bisschen im Nacken hatte. Mein Vater ist Marathonläufer und hat eigentlich vom ers-
105 ten Tag an gesagt, komm, geh doch mal mit mir laufen." Vier Jahre hat der Vater nicht lockergelassen, und irgendwann sind sie zusammen gelaufen. Andreas erinnert sich heute noch an diesen Tag: „Wir sind als zwei
110 Erwachsene losgelaufen und ich bin als kleiner, hechelnder Dackel nach 17 Kilometern neben ihm angekommen. Und da habe ich mir gesagt, jetzt erst recht!"

7

„Ich habe meinem Vater ein paar Turnschuhe
115 vom Balkon geklaut", erinnert sich Andreas Niedrig. Er habe kein Geld für Turnschuhe gehabt. „Und mit den Turnschuhen habe ich dann drei Monate lang trainiert, bin dann beim Marathonlauf hier in Essen an den Start
120 gegangen und mit zwei Stunden und 43 Minuten damals ins Ziel gekommen. Das war eigentlich so der Anfang meiner Triathlonkarriere." Was folgte, war ein systematischer Aufstieg bis in die Weltspitze. Im Jahr 2001
125 erreichte Andreas Niedrig den siebten Platz beim Ironman auf Hawaii. Eine unglaubliche Leistung, wenn man seine jahrelange Drogenabhängigkeit bedenkt.

8

2004 wollte Andreas
130 Niedrig Weltmeister werden, aber eine schwere Verletzung hinderte ihn daran. Ein Jahr später beendete er
135 offiziell seine Profikarriere als Triathlonsportler. Doch richtig los kommt er von dem Sport nicht, der ihm so
140 viel bedeutet. Obwohl die Ärzte ihm nach der schweren Verletzung gesagt hatten, er könne nie wieder Sport trei-
145 ben, trainiert er heute wieder. Und er gewinnt auch Wettkämpfe.

9

Seit einigen Jahren engagiert sich Andreas Niedrig darüber hinaus in Sachen Sucht-
150 prävention. Er hat verschiedene Projekte entwickelt, mit denen er in Schulen geht, um Jugendliche ab Klasse 9 für die Gefahren durch Drogen zu sensibilisieren. Gemeinsam mit der „Fachstelle Prävention" in Frankfurt am
155 Main erklärt er Schülern beispielsweise, wie eine Sucht entsteht.

c Ordne die Überschriften im Kasten den Textabschnitten in b zu.

Neuanfang ▪ Soziales Engagement ▪ Keine Skrupel bei der Drogenbeschaffung ▪ Einstieg ins Drogenleben ▪ Unterbrechung wegen Verletzung ▪ Unterstützung durch den Vater ▪ Drogen, um den Alltag zu bewältigen ▪ Suche nach der perfekten Partnerin ▪ Beim Sport über sich selbst hinauswachsen

d Was berichtet Andreas Niedrig über sich selbst? Fasse den wichtigsten Textinhalt zusammen.

e Wie findet ihr die Geschichte von Andreas Niedrig? Glaubt ihr, dass diese Geschichte bzw. der Film über Andreas Niedrig Jugendlichen helfen kann, die drogengefährdet sind? Sprecht darüber in der Klasse.

Wie wir miteinander umgehen

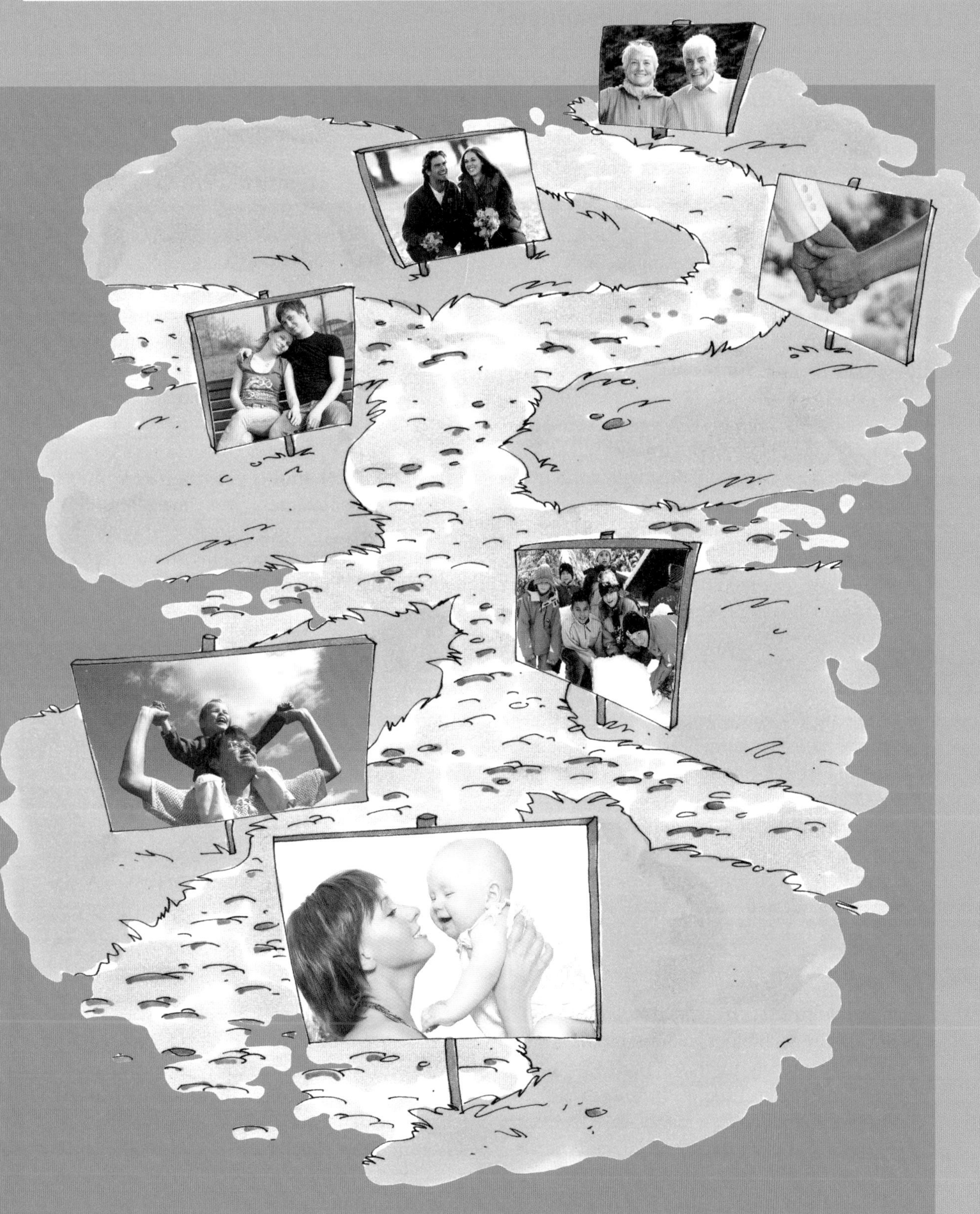

Beschreibe die emotionalen und sozialen Beziehungen, die die Menschen im Lauf ihres Lebens haben können.

A Liebe

A1 Liebeskummer – wie gehst du damit um?

a Wann hat man Liebeskummer? Ist der Kummer eurer Meinung nach eine Hilfe für die Betroffenen oder nicht? Sprecht darüber in der Klasse.

b Lies, was die Jugendlichen zum Thema Liebeskummer sagen.

Wenn ich Liebeskummer habe, gehe ich mit meinen Freunden Fußball spielen. Dann vergesse ich ihn auch ziemlich schnell. Es hat doch keinen Sinn, ständig herumzuheulen und dem Mädchen nachzulaufen! Dann war sie eben nicht die Richtige für mich!
Ronald, 15

Ich finde, Liebeskummer lohnt sich nicht. Was soll denn das? Wenn sie nicht will, dann muss ich das respektieren, auch wenn ich's vielleicht anders sehe. Am besten sucht man sich schnell eine neue Beziehung, die dann hoffentlich besser läuft. Wenn einem das allerdings öfter passiert, sollte derjenige schon mal darüber nachdenken, ob er vielleicht selbst daran schuld ist.
Holger, 16

Wenn eine Beziehung kaputtgeht, ohne dass man das selbst herbeigeführt hat, ist das auf jeden Fall erst mal eine schmerzliche Erfahrung. Aber Liebeskummer ist auch wichtig für die eigene Persönlichkeit. Man sieht, was in der Beziehung falsch gelaufen ist. Vielleicht hat man den anderen ja zu sehr unter Druck gesetzt. Auf jeden Fall sollte man etwas daraus lernen und denselben Fehler nicht wieder machen.
Henning, 18

Liebeskummer ist etwas, was jedem mal passiert, das ist auch nicht weiter schlimm. Da muss man einfach durch. Ich finde Liebeskummer auch ganz wichtig, weil es einem hilft, sich mit tiefen Gefühlen auseinanderzusetzen. Oft ist Poesie ja entstanden, wenn jemand die Gefühle beschreibt, die er beim Verlust einer geliebten Person hat.
Lisa, 18

Es ist doch normal, dass eine Beziehung nicht ewig hält. Das war früher nicht anders, auch wenn man nicht so offen darüber gesprochen hat. Wem das nicht klar ist, der ist einfach noch nicht reif genug. Man sollte eine Beziehung pflegen, solange es geht. Wenn sie dann zu Ende ist, hat es eben so kommen müssen.
Victor, 18

Ich finde Liebeskummer eigentlich ganz nützlich: Am Ende hat man etwas dazugelernt: Entweder weiß man, was man selbst falsch gemacht hat, oder man hat vielleicht nur nach dem falschen Typ gesucht.
Sophie, 17

Wenn ich Liebeskummer habe, tue ich mir etwas Gutes. Ich unternehme irgendwas mit Freunden, was mir Spaß macht. Oder ich kaufe mir neue Klamotten. Dann bekomme ich den nötigen Abstand zu der Sache!
Lena, 14

Liebe, verliebt sein und Liebeskummer gehören zusammen. Wer meint, man kriegt das eine ohne das andere, ist doch ziemlich unrealistisch. Gefühle halten eben nicht ewig, das ist doch klar.
Eveline, 17

Wer Liebeskummer hat, sollte auf jeden Fall mit jemand anderem darüber sprechen. Ich würde es meiner besten Freundin erzählen. Ich glaube, dann wäre das alles nicht so schlimm. Zum Glück hatte ich noch nie richtigen Liebeskummer. Wen's trifft, der sollte sich eben bei Freunden ausweinen!
Sarah, 15

Zu wem passen die folgenden Aussagen? (Es kann mehrere Lösungen geben.)

1 Es ist unvernünftig, jemandem lange nachzutrauern.
2 Man erfährt etwas über seine eigenen Fehler.
3 Ich unternehme etwas Schönes.
4 Liebeskummer ist die andere Seite der Liebe.
5 Jeder hat das Recht auf freie Entscheidung.
6 Liebeskummer kann wichtig für die Persönlichkeit sein.
7 Es ist ganz normal, dass Beziehungen vergänglich sind.
8 Ein Gespräch hilft einem, leichter darüber hinwegzukommen.
9 Bei Liebeskummer muss man seine Gefühle analysieren.

c Welcher Aussage stimmst du zu? Begründe.

GR1 Relativsätze mit *wer, wen, wem*

Wer Liebeskummer hat, (der) sollte mit jemandem darüber sprechen.
= **jemand, der** Liebeskummer hat
Wem das nicht klar ist, (der) hat nichts verstanden.
= **jemand, dem** das nicht klar ist
Wen es trifft, (der) sollte sich bei Freunden ausweinen.
= **jemand, den** es trifft

Der Relativsatz bezieht sich auf einen Kreis von Personen, auf die die Bedingung im Relativsatz zutrifft.

d Ergänze die Sätze wie im Beispiel.

Beispiel: *Sarah findet, wer Liebeskummer hat, der sollte mit jemandem darüber sprechen.*

1 ~~Sarah findet, ? , der sollte mit jemandem darüber sprechen.~~
2 Holger meint, ? , der sollte schnell eine neue Beziehung suchen.
3 Lena ist der Meinung, ? , vergisst seinen Liebeskummer.
4 Viktor findet, ? , besitzt noch nicht die nötige Reife für eine Beziehung.
5 Sophie ist der Auffassung, ? , der sollte daraus gewisse Schlussfolgerungen ziehen.
6 Eveline meint, ? , muss akzeptieren, dass die Liebe irgendwann zu Ende ist.

jemand, der sich mit anderen Dingen beschäftigt
~~jemand, der Liebeskummer hat~~
jemand, der den Abbruch einer Beziehung nicht akzeptiert
jemand, der verliebt ist
jemand, den der Partner verlassen hat
jemand, dem die Partnerin davongelaufen ist

A2 Küssen ist gesund

a Bei welchen Gelegenheiten küssen sich die Menschen in deinem Land?

b Welche der Aussagen treffen eurer Meinung nach zu? Warum?

Küssen kann dazu führen, dass ...
- Menschen krank werden.
- Krankheiten schneller heilen.
- Menschen nicht so schnell krank werden.
- ansteckende Krankheiten (nicht so) leicht übertragen werden.

c Lies den Text und überprüfe deine Vermutungen.

Ursprünglich diente der Lippenkontakt dem Austausch von Nahrung zwischen Mutter und Kind, einer Tätigkeit also, die für das Kleinkind nötig war, damit es am Leben blieb, wuchs und sich entwickeln konnte. Zwar hat der Kuss in unserer Zeit diese elementare Funktion verloren, er ist und bleibt jedoch ein Ausdruck von Vertrauen, Freundschaft und Liebe. Aber nicht nur! Amerikanische Forscher haben außerdem herausgefunden, dass Küssen außerordentlich gesund ist, denn Küssen verursacht eine ganze Reihe positiver Körperreaktionen. Der Puls steigt auf 120 Schläge pro Minute und gleichzeitig auch die Körpertemperatur. Der Kreislauf kommt in Schwung, der Stoffwechsel wird angekurbelt und der Hormonspiegel steigt sprunghaft an. Das Glückshormon Serotonin im Gehirn bewirkt, dass man lockerer und ausgeglichener wird. Infolgedessen müssen Vielküsser insgesamt weniger zum Arzt und leben länger.

Nach wissenschaftlichen Untersuchungen kann Küssen sogar ein ganz natürliches Heilmittel gegen viele Beschwerden sein: Schmerzen lassen nach, schädliche Stresshormone werden abgebaut, Verspannungen gelöst und Depressionen gemindert. Man fühlt sich nach dem Küssen super und wird von negativen Gedanken befreit. Infolgedessen sind Menschen, die viel küssen, lebensfroher und weniger stressanfällig. Sogar die Zähne machen bei diesem Fitnessprogramm mit. Französische Zahnärzte fanden heraus, dass Küssen Karies und Parodontose bremsen kann. Infolge des erhöhten Speichelflusses werden Minerale in den Zahnschmelz aufgenommen, sodass der Zahnschmelz härter wird.

Wusstest du, dass ...
- ein Kuss heute im Durchschnitt über zwölf Sekunden dauert? In den 1980er-Jahren wurde nur 5,5 Sekunden geküsst.
- der Kuss das beste Training für die Lunge ist? Statt normaler 20 Atemzüge pro Minute sind es während des Kusses und gleich danach bis zu 60 Atemzüge.
- ein intensiver Kuss unseren Körper so stark aktiviert wie 100 Meter Joggen und den gleichen Kick gibt wie 25 Gramm Schokolade?
- Küssen das Leben um bis zu fünf Jahre verlängern kann?

• ein Mensch in einem 70-jährigen Leben bis zu
50 100 000 Küsse verschenkt?
• in Indonesien Menschen, die in der Öffentlichkeit küssen, und sei es nur auf die Wange, eine Geldstrafe zahlen müssen?

Aber trotz der positiven Wirkung von Küssen gilt:
55 Bei ansteckenden Krankheiten wie Masern oder Windpocken ist Küssen nicht gerade gut für die Gesundheit. Und bei Lippenherpes ist Küssen absolut verboten.

d Was stimmt, was stimmt nicht?

1 Die Menschen küssen heute länger als zur Zeit ihrer Eltern.
2 Chronische Krankheiten können geheilt werden, wenn man gern und viel küsst.
3 Durch einen Kuss wird der ganze Körper aktiviert.
4 Wer viel küsst, braucht nicht mehr zum Arzt zu gehen.
5 Der Körper erwärmt sich, sodass man Fieber bekommt.
6 Beim Küssen produziert der Körper viele Hormone.
7 Zu viel Küssen kann schädlich für die Zähne sein.
8 Beim Küssen können ansteckende Krankheiten übertragen werden.
9 Durch einen Kuss verbraucht man so viele Kalorien, wie man mit 25 Gramm Schokolade zu sich nimmt.

e Ergänze den Satz wie im Beispiel.

Durch Küssen wird der Puls erhöht. Durch Küssen …

~~Puls~~ ▪ Kreislauf ▪ Körper ▪ Hormonspiegel ▪ Schmerzen ▪ Stress ▪ Depressionen ▪ Zähne ▪ Lunge ▪ Leben	abbauen ▪ anregen ▪ ~~erhöhen~~ ▪ erhöhen ▪ erwärmen ▪ härten ▪ mildern ▪ reduzieren ▪ trainieren ▪ verlängern

GR2 Konsekutive Angaben (Folge)

	Beispiel	Struktur	Stil
sodass	Der Körper erwärmt sich, **sodass** man Fieber bekommt.	▪ Satz mit Konjunktion und Verb ▪ Verb am Ende (Nebensatz)	verbal
infolge	**Infolge** des erhöhten Speichelflusses werden Minerale aufgenommen.	▪ Präposition (mit Genitiv)	nominal
infolgedessen	Man fühlt sich super und wird von negativen Gedanken befreit. **Infolgedessen** sind Menschen, … lebensfroher.	▪ Satz mit Konjunktion und Verb ▪ Verb an der zweiten Stelle (Hauptsatz)	verbal

f Ergänze die Sätze sinngemäß, entweder durch einen Satz oder einen Ausdruck.

Infolge ? zwischen Mutter und Kind blieb das Kleinkind am Leben.
Im Gehirn wird das Glückshormon Serotonin produziert. Infolgedessen ?
Durch das Glückshormon Serotonin werden die Menschen allgemein ausgeglichener und gesünder, sodass ?
Küssen kann ein natürliches Heilmittel gegen viele Beschwerden sein. Infolgedessen ?
Durch das Küssen wird der Zahnschmelz härter, sodass ?

B Freundschaft

B1 Freundschaft zwischen Jungen und Mädchen

a Haltet ihr eine Freundschaft zwischen Jungen und Mädchen für möglich? Sprecht darüber in der Klasse und notiert an der Tafel mögliche Probleme einer solchen Freundschaft.

(Nur) Wenn …, dann
Vorausgesetzt, …

b Lest dann die Meinung unseres Reporters und vergleicht mit euren Überlegungen.

Sicher hat fast jeder von euch schon mal erlebt, dass sie oder er plötzlich mehr für einen guten Freund oder eine gute Freundin empfindet. Dann ist guter Rat teuer: Soll man es ihm sagen und hoffen, dass es klappt, oder sollte man es lieber verheimlichen? Ich würde mich wohl für die zweite Lösung entscheiden. Wenn du dich nämlich in deinen besten Freund verliebt hast, er selbst aber keine solchen Gefühle für dich hat, ist möglicherweise die Freundschaft kaputt. Vielleicht reagiert er aber positiv und gibt eurer Beziehung eine Chance. Wenn es aber zwischen euch irgendwann aus ist, werdet ihr wohl kaum wieder normal miteinander befreundet sein. Eine schwierige Situation könnte auch dann entstehen, wenn seine feste Freundin ihm den Kontakt mit dir verbietet, obwohl sie vielleicht gar nichts zu befürchten hat. Sie ist einfach nur eifersüchtig und betrachtet dich als Konkurrenz.

c Zu diesem Thema wurden ein paar Jugendliche nach ihrer Meinung gefragt. Lies die Texte und ergänze die Tabelle in deinem Heft.

	Freundschaft +/- | Gründe	*Freundschaft → Beziehung*	*Toleranz bei sich selbst*	*Toleranz beim andern*
Alex				
Sarah				
Nils				
Yvonne				
Steffen				

Sarah, 17
Ich habe absolut kein Problem, mit Jungs Freundschaft zu schließen. Und ich finde es außerdem auch wichtig zu wissen, wie ein Mann denkt und fühlt. Zurzeit bin ich auch mit einem Jungen sehr gut befreundet. Wir verstehen uns super und ich kann mich mit ihm sehr gut unterhalten. Bei mir wurde aus einer Freundschaft bisher noch nie mehr. Ich möchte auch auf keinen Fall riskieren, dass die Freundschaft kaputtgeht, wenn die Partnerschaft nicht klappt! Natürlich ist mir schon aufgefallen, dass ein Junge schnell eifersüchtig wird, wenn man sich mit seinem besten Freund trifft – auch wenn die Jungs sich gewöhnlich nichts anmerken lassen! Ich kann es aber verstehen, dass er eifersüchtig ist, weil ich es auch nicht mag, dass er sich mit anderen Mädchen trifft. Ich werde ja schon eifersüchtig, wenn er nur von einem anderen Mädchen spricht.

Nils, 18
In meinem Freundeskreis gibt's ne ganze Menge Mädchen, und es ist überhaupt nicht schwierig, mit Mädchen befreundet zu sein. Ich bin sogar mit mehreren Mädchen gut befreundet, aber darunter ist nur eine, der ich alles erzählen kann. Mit den anderen Mädchen unternehme ich viele Dinge, natürlich sind da dann auch noch andere Jungs dabei. Einmal hatte ich eine Freundin und daraus wurde mehr. Das wurde übrigens ne längere Beziehung – bis ihre Eltern sich scheiden ließen und sie die Schule wechselte. Meine Freundin hat kein Problem damit, wenn ich mich mit anderen Mädchen treffe, weil sie Vertrauen zu mir hat. Ich möchte aber nicht, dass sie sich mit anderen Jungs trifft. Natürlich weiß ich, dass sie mich liebt. Aber das ist ein Spiel mit dem Feuer, finde ich!

Steffen, 16
Natürlich kann man mit Mädchen befreundet sein. Ich finde es sogar oftmals besser, mit einem Mädchen eine Freundschaft zu pflegen als eine Beziehung. Da gibt es weniger Streit und Eifersucht, glaube ich. Mit Mädchen bzw. mit Frauen kann man besser reden als mit anderen Jungs. Eine Clique, in der nur Jungs sind, würde ich extrem langweilig finden. Aus einer Freundschaft mit mir und einem Mädchen wurde bisher noch nie mehr. Aber wenn sich mal was ergeben würde, würde ich das wohl mal ausprobieren.

Alex, 17
Ich bin mit einigen Mädchen sehr gut befreundet, aber mehr hat sich daraus bisher nicht entwickelt. Das ist auch wichtig für mich, denn sonst würde das die Freundschaft mit Sicherheit gefährden. Mich würde es aber nicht stören, wenn die Mädchen, mit denen ich befreundet bin, sich auch mit anderen Jungs treffen würden. Aber es wäre nicht gerade toll, wenn sich eine ausgerechnet mit meinem besten Freund anfreunden würde. Irgenwie wäre mir das unangenehm.

Yvonne, 16
Ich bin sicher, dass es auch gute Freundschaften zwischen Jungen und Mädchen geben kann. Ich glaube auch nicht, dass es schwierig ist, mit Jungen eine Freundschaft zu schließen, ohne sich in sie zu verlieben. Bei mir wurde aus einer Freundschaft bisher nie mehr. Für mich sind die Jungen, mit denen ich befreundet bin, eher wie Geschwister. Es würde mich auch nicht stören, wenn sich der Junge, mit dem ich jetzt befreundet bin, auch mit anderen Mädchen treffen würde. Das ändert nichts an unserer Freundschaft.

d Berichte dann zusammenhängend, was die Jugendlichen über diese Aspekte sagen.

e Unter welchen Bedingungen könntet ihr euch eine Freundschaft zwischen Jungen und Mädchen vorstellen? Sprecht darüber in der Klasse.

B2 Radiosendung: Beste Freundinnen

a Hör das Interview und korrigiere die falschen Aussagen.

1 Tanja ist die beste Freundin von Nicole.
2 Nach Meinung von Tanja haben Mädchen, die miteinander befreundet sind, eine engere Beziehung zueinander als Jungen.
3 Tanjas erste Mädchenfreundschaft hat sogar einen Schulwechsel überlebt.
4 Obwohl Tanja und Yvonne ganz verschiedene Interessen haben, sind sie beste Freundinnen.
5 Tanja möchte mit Yvonne nicht über das Thema „Jungen" sprechen.
6 Wenn Mädchen miteinander streiten, versöhnen sie sich ganz oft nicht mehr miteinander.
7 Das Thema „Jungen" kann ein Grund sein, warum Mädchen miteinander streiten.
8 Nicole wollte ihrer Freundin helfen, sich mit einem Jungen anzufreunden.
9 Wenn sich zwei Mädchen in den gleichen Jungen verlieben, entzweien sie sich meistens für immer.
10 Mädchen legen bei einer Freundschaft besonders viel Wert auf Ehrlichkeit.

b Was findet ihr bei einer Freundschaft zwischen zwei Mädchen oder zwei Jungen besonders wichtig?

C Gemeinsam geht es besser

a Lies die beiden Texte. Was ist das Ziel der Projekte?

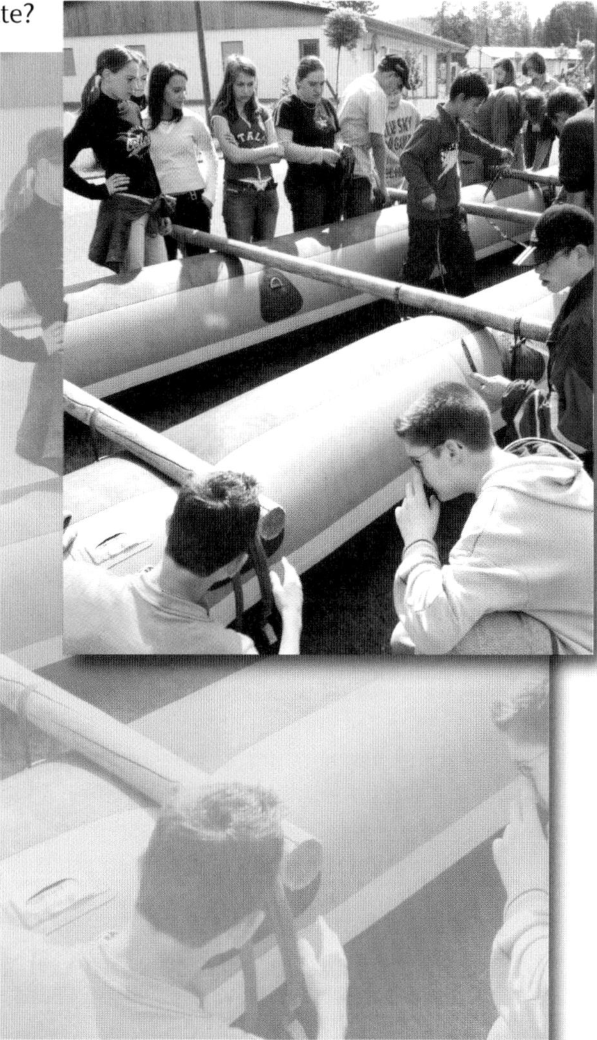

A 24 in einem Boot

Rossbach, Mittwochvormittag, kurz nach zehn. Auf einer Wiese steht die 8. Klasse der Erich-Kästner-Regionalschule: 24 Jungen und Mädchen sind versammelt. Einige pumpen Luft in zwei lange Gummischläuche. Holz und Seile liegen bereit, ein Floß entsteht. Damit wollen die Schüler die Sieg hinunterfahren. Schon bald beginnt unter ihnen eine Diskussion. Wie befestigt man was und wo? Schließlich soll die Konstruktion aus Seilen und Brettern auch stabil sein. Die Lehrer halten sich aus allem heraus.

Das ist Absicht, denn die Übung soll die Klassengemeinschaft fördern. Aus einer bunt zusammengesetzten Klasse soll eine gut funktionierende Gruppe werden. Das wünscht sich zumindest Mechthild Polster, die Klassenlehrerin. Sie hat diese ungewöhnliche Klassenfahrt vorgeschlagen. Jetzt müssen die Jungen und Mädchen verschiedene sportliche Herausforderungen bewältigen, z. B. einen ‚Hindernislauf' wie gestern im Wald. Jeweils sechs Leute mussten gemeinsam eine Strecke laufen. Dabei waren die Füße mit zwei Holzstangen verbunden. Nur mit genau koordinierten Bewegungen kam das Team voran.

Der Sinn dieser Übungen ist immer derselbe. „Gemeinsam kann man besser Probleme lösen und Ziele erreichen. Das soll die Klasse lernen", erklärt Dirk Langenfeld vom Lohmarer Institut. Er organisiert solche Klassenfahrten. In den Teams treffen schüchterne auf selbstbewusste, vorsichtige auf wagemutige Typen. Jeder muss auf den anderen Rücksicht nehmen. „Vor allem die Starken: Sie müssen lernen, ihre Fähigkeiten mit den anderen abzustimmen und auf die Schwachen einzugehen", sagt Lehrerin Polster. Erst dann kann jeder seine Fähigkeiten in die Gruppe einbringen. Auch beim Paddeln ist das so. „Nur wenn wir die Paddel gleichzeitig ins Wasser stecken, kommen wir vorwärts", erklärt Dirk Langenfeld. Manchmal bleibt das Floß im flachen Wasser stehen. Das Team muss entscheiden, wer das stehende Floß anschiebt. Falls einer nicht mehr paddeln kann, muss ihn jemand ersetzen. Nach zwei Stunden erreichen die Schüler glücklich und erschöpft das Ufer. Die anschließende Erfrischung haben sich alle verdient.

B Mehr als nur ein Spiel

Neu-Isenburg, Donnerstag, ungefähr 8 Uhr morgens. In den Büros der Frankfurter Rundschau starten die Mitarbeiter ihre Computer, rücken Stühle und füllen Kaffeebecher. Ein ganz normaler Arbeitstag bei einer Tageszeitung beginnt. Rund 450 Angestellte arbeiten hier. Sabrina, Katharina und Sjoukje, alle 21 Jahre alt, und Kristina, 20, gehören auch dazu. Die jungen Frauen machen eine Ausbildung zur Verlagskauffrau.

Wie in fast allen Unternehmen ist auch bei der Tageszeitung Teamfähigkeit gefragt. Die vier Auszubildenden der Rundschau nahmen an einem Planspiel der Fachhochschule Frankfurt teil, um ihr Talent zur Zusammenarbeit zu testen. Die Teilnehmer sollten gemeinsam ein Unternehmen führen und einen möglichst großen Gewinn erzielen. In der Endrunde traten fünf verschiedene Mannschaften, Schüler und Auszubildende, gegeneinander an.

Einen Tag lang kämpften sie als konkurrierende Unternehmen um die besten Ergebnisse. Sie diskutierten mit Gewerkschaften über steigende Lohnkosten und mussten veraltete Technik ersetzen. Ständig tauchten neue Probleme auf. Einige Teams verteilten die Rollen hierarchisch. Das Rundschau-Team dagegen beschloss, alle Entscheidungen gemeinsam zu treffen. Obwohl es unter ihnen keinen Chef gab, verteilten sie einige Aufgaben entsprechend ihren Stärken und Persönlichkeiten. Kristina und Sjoukje hielten den einführenden Vortrag. Sie stellten das Unternehmen vor. Katharina und Sabrina kümmerten sich um die Zahlen.

Besonders kritisch wurde es, als die Gruppe Mitarbeiter entlassen musste. Emotionen kamen hoch, Katharina fühlte sich persönlich betroffen: „Ich fand es richtig eklig, mich als Unternehmer reden zu hören. Danach konnte ich aber auch die Arbeitgeber besser verstehen."

Und was hat die Mannschaft aus dem Spiel gelernt? Sjoukje fasst ihre Eindrücke zusammen: „Ich fand es wichtig, dass wir über jeden Vorschlag gesprochen haben, auch wenn man mal anderer Meinung war." Zwar reichte es ‚nur' zum dritten Platz, denn die Gruppe hatte zu wenig Gewinn gemacht. Doch in der Beurteilung der Teamfähigkeit erhielten die jungen Frauen die Traumnote 1: Sie waren das beste Team.

b Zu welchem Text passen die Aussagen: zu Text A oder Text B oder zu beiden? Ordne zu und bring die Aussagen in die richtige Reihenfolge.

1 Manchmal verhalten sich die Jugendlichen sehr emotional, z. B. als es um die entlassenen Mitarbeiter geht.
2 Die Jugendlichen lernen, vorgeschlagene Lösungen unvoreingenommen zu prüfen.
3 Aus den bereitgestellten Materialien soll ein Floß gebaut werden.
4 Geplantes Ziel der Übung ist eine gut funktionierende Gruppe.
5 Die selbst hergestellte Konstruktion soll möglichst stabil sein.
6 Die Jugendlichen lösen die ihnen zugeteilten Aufgaben mit großem Erfolg.
7 Die teilnehmenden Schüler sollen lernen, ihre Arbeit in der Gruppe gut zu koordinieren.
8 Die eingebrachten Fähigkeiten hängen jeweils von der Kondition und der Persönlichkeit jedes Einzelnen ab.
9 Wer mehr Kraft hat, hilft schwächeren Mitschülern.
10 Deshalb nehmen einige Auszubildende an dem von der Fachhochschule durchgeführten Planspiel teil.
11 Die Jugendlichen sollen sich vorstellen, in miteinander konkurrierenden Firmen zu arbeiten.
12 Die versammelten Schüler warten auf den Beginn der Übung.

c Was passiert, wenn ein Teilnehmer der Gruppe nicht richtig mitspielt? Wie sollen sich die anderen dann verhalten? Überlegt in Partnerarbeit und macht Lösungsvorschläge.

D Streitschlichtung

D1 Recht und Unrecht – aus der Sicht der Lehrer

a Wie sollten sich die Lehrer verhalten, wenn es in den Pausen auf dem Schulhof Streit gibt? Sprecht darüber in der Klasse.

b Lies den Text.

Streit und Auseinandersetzungen gehören zum Schulalltag. Immer wieder werden Lehrer gerufen, um Streithähne auseinanderzuhalten. Dann sollen sie herausfinden, wer recht und wer unrecht hat, (5) und die Schuldigen zur Rede stellen. Bei der Schülerstreitschlichtung ist das anders. Streitschlichter sind keine Richter. Sie treten als Vermittler zwischen zerstrittenen Schülerinnen oder Schülern auf. Sie helfen den Streitenden, selbst (10) herauszufinden, was falsch gelaufen ist, machen Lösungsvorschläge und versuchen schließlich, einen Vertrag auszuhandeln, den beide Seiten akzeptieren können. Voraussetzung für das Schlichtungsgespräch ist, dass die Streitenden freiwillig (15) kommen. Die ausgewählten Schülerinnen und Schüler der 8. bis 10. Klassen werden gut ausgebildet. Sie lernen von Fachleuten, wie man Körpersprache versteht, aktiv zuhört und die eigene Bewertung zurückhält. Es gibt Rollenspiele und kriti- (20) sche Gespräche. Zum Schluss der Ausbildung werden die Schlichtungsgespräche intensiv trainiert. Dabei lernen die Streitschlichter, selbstbewusst aufzutreten und auch einmal laut zu werden, wenn die Kontrahenten ihre Beschimpfungen bei ihnen (25) fortsetzen wollen und sich gegenseitig nicht ausreden lassen. Wenn Schüler Mitschülern helfen, ihre Konflikte friedlich zu lösen, wird es sich herumsprechen, dass es nicht so wichtig ist, herauszufinden, wer recht und unrecht hat. Jeder hat seinen (30) Anteil an dem Streit, den man nur gemeinsam lösen kann. Die Erfahrungen zeigen: 90 Prozent der Gespräche haben für beide Seiten ein befriedigendes Ergebnis. Der Unterricht wird entlastet. Auf dem Schulhof geht es ruhiger zu.

c Was passt zusammen? Ordne zu.

1 Es gehört zum Schulalltag,	a wie man sich als Streitschlichter verhält.
2 Oft haben Lehrer die Aufgabe,	b wenn die Streitenden freiwillig zum Streitschlichter kommen.
3 Streitschlichter sind dagegen Vermittler,	c wenn die Streitenden die Spielregeln nicht einhalten.
4 Ein Streitschlichtungsgespräch kann nur dann stattfinden,	d können sie den Streit nur gemeinsam lösen.
5 Die zukünftigen Streitschlichter lernen von Spezialisten,	e dass Schüler sich streiten.
6 Sie müssen auch lernen, selbstbewusst zu sein,	f dass es in der Schule jetzt weniger Streit gibt als früher.
7 Ziel eines Schlichtungsgesprächs ist es, den Streitenden zu zeigen,	g mit deren Hilfe die Streitenden ihre Probleme selbst lösen können.
8 Da beide mitschuldig sind,	h streitende Schüler zu trennen.
9 Das erfreuliche Ergebnis ist,	i dass an einem Streit immer zwei beteiligt sind.

d Wie gehen Lehrer vor, wenn Schüler sich streiten? Wie machen es Streitschlichter? Sammelt die Informationen aus dem Text an der Tafel und vergleicht.

D2 Interviews mit Streitschlichtern

28–31

a Hör die Interviews und löse die Aufgaben.

1 Warum ist Tobias Streitschlichter geworden?
  a Tobias glaubt, dass Lehrer und Schüler besser miteinander kommunizieren sollten.
  b Tobias möchte, dass die Schüler sich ohne Lehrer einigen können.
  c Tobias hat kein gutes Verhältnis zu seinen Lehrern.

2 Wie ist Tobias Streitschlichter geworden?
  a In einer AG hat Tobias gelernt, wie man sich als Schlichter verhalten muss.
  b Eine Lehrerin hat ihn ausgebildet.
  c Er hat gelernt, wie man einen Streit verhindern kann.

3 Was bedeutet: einen Streit schlichten?
  a Man muss eine Lösung vorschlagen.
  b Man sorgt dafür, dass die Streitenden ruhig und sachlich miteinander sprechen.
  c Die Streitenden sollen einen Vertrag unterschreiben, dass sie sich nie mehr streiten werden.

4 Welche offizielle Berechtigung braucht ein Streitschlichter?
  a Er braucht ein Diplom von einer Streitschlichterschule.
  b Er muss dafür sorgen, dass die Streitenden einen Vertrag abschließen.
  c Er muss eine Prüfung ablegen.

5 Warum haben nach Meinung von Tobias jugendliche Streitschlichter mehr Erfolg als Lehrer?
  a Die Schüler haben Angst, dass der Lehrer ihnen eine schlechte Note gibt.
  b Es kann passieren, dass Lehrer und Schüler miteinander streiten.
  c Lehrer können sich nicht so gut in Jugendliche hineinversetzen.

6 Warum ist Apik Streitschlichterin geworden?
  a Sie möchte, dass Streitigkeiten auf friedliche Weise gelöst werden.
  b Sie findet, dass sich niemand mehr über Gewalt aufregt.
  c Sie glaubt, dass sich alle Schüler miteinander vertragen sollten.

7 Was für Streitigkeiten muss sie schlichten?
  a Manchmal geht es um schwere Schlägereien.
  b Meistens wollen sich die Schüler einfach ein bisschen unterhalten.
  c In den häufigsten Fällen haben die Schüler etwas gestohlen.

8 Was ist für Apik das Wichtigste?
  a Man darf nicht zu freundlich sein.
  b Oft ist nicht leicht zu erkennen, wer das Opfer und wer der Täter ist.
  c Man sollte vor allem die Fälle ernst nehmen, in denen jemand geschlagen wurde.

9 Was hat Apik aus dieser Tätigkeit gelernt?
  a Sie selbst streitet sich nicht mehr.
  b Sie hat keinen Kontakt mehr zu Menschen, die viel streiten.
  c Sie kann etwa einschätzen, wodurch ein Streit entsteht.

10 Wie sieht die Erfolgsbilanz der Streitschlichter an ihrer Schule aus?
  a Die meisten streiten immer noch.
  b Die meisten versuchen, Streit zu vermeiden.
  c Die meisten vertragen sich wieder.

b Gibt es so etwas wie Streitschlichtung auch in deinem Land?

Würdest du selbst gern als Streitschlichter arbeiten? Warum (nicht)?

Was bedeutet eigentlich *schön*?

Wen findest du schön? Warum?
Diskutiert in der Klasse.

A Schönheitsideale

A1 Haben schöne Menschen mehr Glück in der Liebe?

In einer Umfrage des Marktforschungs-Unternehmens gdp wurden 1000 Männer und Frauen im Alter von 16 bis 69 Jahren befragt.

a Lies den Text. Wie lautet die Antwort auf die oben gestellte Frage?

88 Prozent aller Befragten gaben an, dass ein erstes Kennenlernen für schöne Menschen auf alle Fälle leichter ist, da sie durch ihr gutes Aussehen sofort ins Auge fallen. Allerdings vermuten die meisten hinter dem schönen Äußeren auch Probleme. So gaben 71 Prozent der Befragten an, schöne Menschen würden häufig gar nicht um ihrer selbst willen ausgewählt, sondern nur ihrer Schönheit wegen. Gut die Hälfte der Befragten glaubt, dass schöne Menschen es in einer Beziehung genauso leicht oder schwer haben wie alle anderen auch. Nur gut ein Drittel glaubt, dass diese Beziehungen harmonischer sind.

Auch wenn die Mehrheit aller Männer und Frauen (88 Prozent) sagt: „Auf Details kommt es mir nicht so an, Hauptsache, der Gesamteindruck stimmt", gibt es doch gerade in diesem Bereich kleine, aber feine Unterschiede. So ist für 88 Prozent der Männer (76 Prozent der Frauen) ein klassisch schönes Gesicht ein echter Hingucker, wohingegen für 68 Prozent der Frauen (54 Prozent der Männer) vor allem schöne, gepflegte Hände eine besondere Anziehungskraft haben. Interessant: Die „knackige" Figur landete im Gesamtergebnis auf dem letzten Platz (46 Prozent). Auffällig allerdings: Mehr als die Hälfte der jungen Männer zwischen 16–49 Jahren gab einen stromlinienförmigen Körper als persönliches Schönheitsideal an, wogegen das nur für 37 Prozent aller Frauen interessant ist.

Wenn es um eine ernsthafte, tiefe Beziehung geht, ist für die meisten Befragten das Aussehen eher nebensächlich: 47 Prozent der Männer und 66 Prozent der Frauen gaben an, dass sie zwar gegen gutes Aussehen grundsätzlich nichts haben, ihnen andere Dinge aber viel wichtiger sind. Das gilt insbesondere für 70 Prozent der Frauen zwischen 30 und 69 Jahren. Nur junge Männer im Alter von 16–29 Jahren gaben an, dass das Aussehen ihrer Partnerin eine große Rolle spielt: 61 Prozent gucken eher nach dem

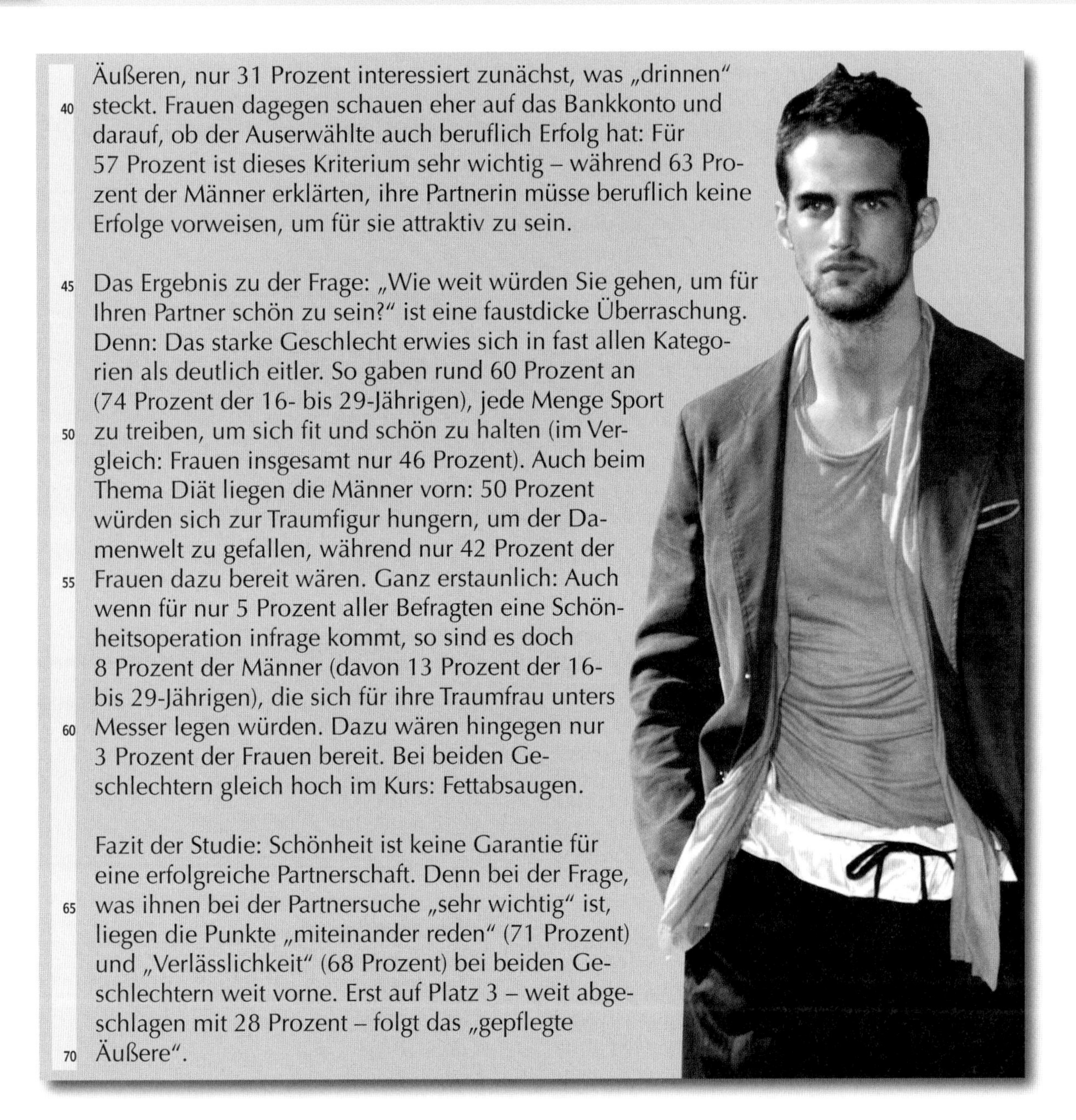

Äußeren, nur 31 Prozent interessiert zunächst, was „drinnen" steckt. Frauen dagegen schauen eher auf das Bankkonto und darauf, ob der Auserwählte auch beruflich Erfolg hat: Für 57 Prozent ist dieses Kriterium sehr wichtig – während 63 Prozent der Männer erklärten, ihre Partnerin müsse beruflich keine Erfolge vorweisen, um für sie attraktiv zu sein.

Das Ergebnis zu der Frage: „Wie weit würden Sie gehen, um für Ihren Partner schön zu sein?" ist eine faustdicke Überraschung. Denn: Das starke Geschlecht erwies sich in fast allen Kategorien als deutlich eitler. So gaben rund 60 Prozent an (74 Prozent der 16- bis 29-Jährigen), jede Menge Sport zu treiben, um sich fit und schön zu halten (im Vergleich: Frauen insgesamt nur 46 Prozent). Auch beim Thema Diät liegen die Männer vorn: 50 Prozent würden sich zur Traumfigur hungern, um der Damenwelt zu gefallen, während nur 42 Prozent der Frauen dazu bereit wären. Ganz erstaunlich: Auch wenn für nur 5 Prozent aller Befragten eine Schönheitsoperation infrage kommt, so sind es doch 8 Prozent der Männer (davon 13 Prozent der 16- bis 29-Jährigen), die sich für ihre Traumfrau unters Messer legen würden. Dazu wären hingegen nur 3 Prozent der Frauen bereit. Bei beiden Geschlechtern gleich hoch im Kurs: Fettabsaugen.

Fazit der Studie: Schönheit ist keine Garantie für eine erfolgreiche Partnerschaft. Denn bei der Frage, was ihnen bei der Partnersuche „sehr wichtig" ist, liegen die Punkte „miteinander reden" (71 Prozent) und „Verlässlichkeit" (68 Prozent) bei beiden Geschlechtern weit vorne. Erst auf Platz 3 – weit abgeschlagen mit 28 Prozent – folgt das „gepflegte Äußere".

b Lies den Text noch einmal und korrigiere die falschen Aussagen.

1 Gut aussehende Menschen werden eher beachtet als andere.
2 Es wird vielfach angenommen, dass bei Menschen, die schöne Menschen als Partner wählen, die Persönlichkeit des Partners keine so wichtige Rolle spielt.
3 Mehr Frauen als Männer finden ein schönes Gesicht attraktiv.
4 Für Männer jeden Alters ist eine gute Figur bei einer Frau sehr wichtig.
5 Je älter Männer sind, desto mehr Wert legen sie auf gutes Aussehen bei Frauen.
6 Für Frauen ist der gesellschaftliche Status eines Mannes wichtiger als sein Aussehen.
7 Die meisten Frauen sind bereit abzunehmen, wenn die Männer das wünschen.
8 Schönheitsoperationen wegen eines Mannes würden nur wenige Frauen machen lassen.
9 Männer und Frauen finden Kommunikation wichtiger als gutes Aussehen.

c Formuliere fünf Fragen zum Text. Such dir einen Partner und befragt euch gegenseitig.

A2 Wer entspricht deinem Schönheitsideal?

Jugendliche aus verschiedenen europäischen Ländern haben sich zu dieser Frage geäußert.

a Lies die Texte.
Notiere die Eigenschaften, die für die Jugendlichen eine Rolle spielen, und lege eine Rangliste an.

An erster Stelle steht ...
Dann kommt ...
... kommt erst viel später
... spielt (k)eine besonders große Rolle

Mir gefällt Sandra Bullock. Sie sieht gut aus, aber eben nicht nur! Sie ist auch sympathisch und intelligent. Außerdem hat sie nicht diese Starallüren wie viele andere bekannte Schauspieler. Das kann ich nämlich überhaupt nicht leiden!
Anna, Polen

Die schönste Frau ist für mich Angelina Jolie. Sie hat eine tolle Figur und viel Sex-Appeal! Aber sie wirkt immer ganz natürlich und sympathisch. Keine Spur von einer aufgedonnerten Schauspielerin! Und sie ist zudem ein guter Mensch. Ich bewundere sie für ihr soziales Engagement und ihr Herz für Kinder.
Roberto, Italien

Ich mag Orlando Bloom. Er sieht gut aus und hat eine sympathische Ausstrahlung. In meiner Klasse haben wir ihn zu unserem Lieblingsschauspieler gewählt.
Jens, Holland

Wir haben eigentlich kein besonderes Schönheitsideal, also eine bestimmte Person, die viele positive Eigenschaften in sich vereint. Ganz allgemein gefallen uns Männer, die sportlich sind. Also, man darf die Muskeln schon sehen, aber bitte kein Muskelprotz! Und: Er muss aufgeschlossen und tolerant sein! Das sind die wichtigsten Eigenschaften!
Sonja und Katrina, Russland

Julia Roberts ist und bleibt für mich die Größte! Mir gefallen Frauen mit Charme und Humor. Außerdem ist sie eine ganz tolle Schauspielerin. Sie ist auch in Charakterrollen gut, die sehr anspruchsvoll sind.
Annie, Frankreich

Mein Vorbild ist Jonny Depp. Er hat das gewisse Etwas. Wie soll ich das beschreiben? Natürlich sieht er gut aus, aber das ist nicht das Wichtigste. Er hat Persönlichkeit, er überzeugt nicht nur als Schauspieler, sondern auch als Mensch.
Jan, Kroatien

GR1 Adjektive: Verschiedene Verwendungen

Adjektiv		
prädikativ	**attributiv**	**als Adverb**
sie ist sympathisch und intelligent	ein erstes Kennenlernen	sie sieht gut aus

b Suche alle Adjektive aus den Texten zu A1 und A2 heraus und ergänze die Tabelle in deinem Heft.

GR2 Adjektivdeklination: attributiver Gebrauch

	maskulin		neutrum		feminin		Plural	
Nominativ	der junge Mann	ein junger Mann	das alte Buch	ein altes Buch	die alte Frau	eine alte Frau	die alten Männer	alte Männer
Akkusativ	den jungen Mann	einen jungen Mann	das alte Buch	ein altes Buch	die alte Frau	eine alte Frau	die alten Männer	alte Männer
Dativ	dem jungen Mann	einem jungen Mann	dem alten Buch	einem alten Buch	der alten Frau	einer alten Frau	den alten Männern	alten Männern
Genitiv	des jungen Mannes	eines jungen Mannes	des alten Buches	eines alten Buches	der alten Frau	einer alten Frau	der alten Männer	alter Männer

Jedes Genus (maskulin, neutrum, feminin) hat in jedem Kasus einen Signalbuchstaben. Beispiel: der junge Mann (r ist der Signalbuchstabe für maskulin/Nominativ)

c Beantworte die folgenden Fragen. Kannst du daraus zwei Regeln formulieren?

1 Was passiert im Nominativ und Akkusativ mit dem Signalbuchstaben?
Welche Endungen haben wir dort?

2 Welche Endungen haben wir im Dativ und Genitiv? Welche Ausnahme gibt es im Genitiv?

A3 Projekt: Schönheitsideale in anderen Epochen

Entscheidet euch zuerst für die Epoche, die ihr untersuchen möchtet (von der Antike bis zur Neuzeit). Sucht Informationen über die Schönheitsideale und die Mode dieser Epoche. Berücksichtigt dabei auch die Fragen:

- Was hat den Geschmack dieser Zeit beeinflusst?
- Welche gesellschaftlichen Gruppen waren „modebewusst"?
- Wie war es mit Frauen und Männern?

B Schönheitsoperationen

B1 Neue Nasen für Teenies

a Interessieren sich die Menschen in eurem Heimatland für Schönheitsoperationen? Sprecht darüber in der Klasse.

b Lies den Text und mach dir Notizen zu unten stehenden Punkten.
Fasse dann den Text mithilfe der Redemittel unten zusammen.

- Wünsche der Jugendlichen früher und heute

Früher legten sie mehr Wert auf ...
Jetzt möchten sie genauso aussehen wie ...
Sie hätten gern ...
Sie wären gern wie ...

- Voraussetzungen für eine Schönheitsoperation (Alter, Geld, Notwendigkeit)

Nur wenn / Erst wenn ...
Die Jugendlichen sollten/müssen ..., andernfalls/sonst ...

- Besonderheiten bei Jugendlichen im Wachstum

Wenn sie ..., könnte(n) ...
Deshalb ...

„Zu mir kommen Jugendliche, die wollen aussehen wie Britney Spears oder Pamela Anderson", sagt Professor Werner Mang, Gründungspräsident der Deutschen Gesellschaft für ästhetische Chirurgie in Lindau am Bodensee. „Bei Jungen ist es dann Brad Pitt, oder Mädchen wollen eine Nase wie Sabrina Setlur." Wie in den USA und Großbritannien wächst auch in Deutschland die Zahl der Jugendlichen, die ihr Aussehen durch Schönheitschirurgen verändern lassen wollen.

Besonders gefragt bei Jugendlichen sind Nasenkorrekturen und Fettabsaugen, vor allem an den Oberschenkeln. Speziell bei Jungen ist die Akne-Behandlung mit Laser besonders beliebt.

Judith aus Hamburg ist erst 14, aber sie könnte sich durchaus vorstellen, sich operieren zu lassen: „Ich würde gerne die Nase verkleinern lassen."

Doch unter Experten ist umstritten, ob solche Operationen bei Jugendlichen überhaupt Sinn machen, schließlich verwächst sich mit den Jahren noch vieles. „Man weiß nie, wohin die Reise des Körpers geht", warnt Professor Eckert, Präsident der Vereinigung der Deutschen Chirurgen. Und: „Folgeeingriffe, weil man sich zu früh zu einer Operation entschlossen hat, sind bei Jugendlichen häufiger nötig." Nasenkorrekturen gelten erst ab 16 Jahren als problemlos. Abstehende Ohren würden allerdings schon ab dem sechsten Lebensjahr korrigiert, so Mang, „damit die Kinder in der Schule erst gar nicht gehänselt werden."

„Wenn Jugendliche wie ihre Stars aussehen wollen, könnte ich das nie befürworten", sagt Professor Ulrich Knölker von der Lübecker Uniklinik für Kinder- und Jugendpsychiatrie. „Statt mit dem Messer sollte man dieses Problem besser mit psychotherapeutischer Beratung angehen." Schönheitsoperationen bei Jugendlichen sollten den Experten zufolge aber nicht generell abgelehnt werden. „Wenn wirklich eine schlimme, entstellte Nase oder missgebildete Ohren vorliegen, dann denke ich schon, dass man zu einer Operation raten kann, und das machen wir auch", sagt Knölker. Solche Entstellungen könnten unter Umständen lebenslange Komplexe verursachen. Mang hält Schönheitsoperationen immer dann für gerechtfertigt, wenn jemand unter seinem Aussehen wirklich leidet, „aber nicht, wenn jemand mit einem Starbild ankommt."

Ein seriöser Schönheitschirurg wird demnach immer einen Psychologen zurate ziehen und den Patienten erst nach einer längeren Bedenkzeit operieren. Bei Jugendlichen, die noch nicht volljährig sind, müssen die Eltern einverstanden sein. „Da gibt es keine Ausnahmen", sagt Eckert. Bei der 14-jährigen Judith aus Hamburg, die gerne ihre Nase operieren lassen würde, ist die Mutter dagegen. Deshalb muss Judith warten, bis sie 18 Jahre alt ist.

Auch Geld ist oft ein Problem, denn Schönheitsoperationen sind nicht billig. Ob man sich nun die Nase richten lassen will oder Fett absaugen lässt: Je nach Fall kosten diese Operationen um die 5000 Euro. Die Krankenkassen zahlen nur dann, wenn der Körper stark von der Norm abweicht.

Wenn das Geld fehlt, die Eltern nicht einverstanden sind und man noch nicht volljährig ist, können Jugendliche sich damit trösten, dass der eigene Körper noch manche Überraschung bereithält – vielleicht ist die gewünschte Operation mit 18 gar nicht mehr nötig.

c Ordne die Sätze sinngemäß zu. Bei richtiger Lösung ergibt sich von 1–12 eine Zusammenfassung des Textes unter b.

1 Immer häufiger wenden sich Teenies	a zu einer Schönheitsoperation entschlossen haben.
2 weil sie sich	b für problemlos halten.
3 Meist sind sie unzufrieden	c vom normalen Aussehen abweicht.
4 Doch die Chirurgen sind	d zu einer Operation in jüngerem Alter,
5 weil sie Nasenkorrekturen erst ab 16	e gegen die Operation sind,
6 Nur wenn eine Missbildung vorliegt, raten die Ärzte	f an Schönheitschirurgen,
7 denn sonst würden die Jugendlichen vielleicht	g mit der Operation einverstanden sein.
8 Die Krankenkassen übernehmen die Kosten für eine Operation, wenn der Körper stark	h damit trösten, dass sich das Problem in der Zwischenzeit vielleicht verwächst.
9 Solange Jugendliche minderjährig sind, müssen die Eltern	i auf die Volljährigkeit warten.
10 Wenn die Eltern	j gegen eine Operation in diesem Alter,
11 müssen die Jugendlichen	k mit ihrer Nase.
12 Sie können sich aber	l unter ihrem Aussehen leiden.

d „Statt mit dem Messer sollte man dieses Problem besser mit psychotherapeutischer Beratung angehen."
Was ist mit dieser Aussage in Zeile 31–33 gemeint?

a Eine psychologische Beratung ist Voraussetzung für eine Schönheitsoperation.
b Wie ihre Stars sollten auch die Jugendlichen in eine psychologische Beratung gehen.
c Den Wunsch nach einem perfekten Aussehen sollte man besser mit einer psychologischen Therapie behandeln.

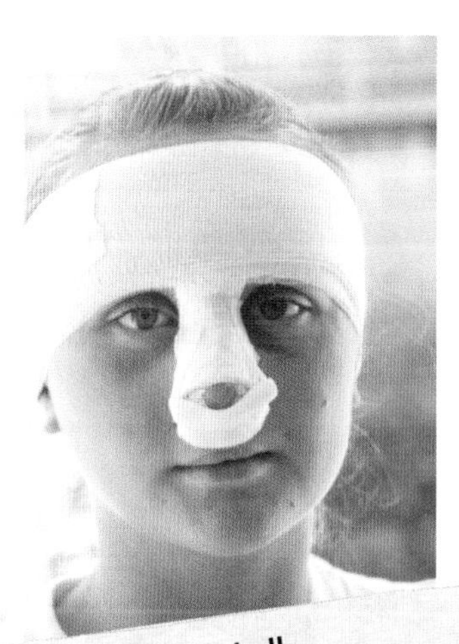

Wie denkt ihr über dieses Zitat? Sprecht darüber in der Klasse. Berücksichtigt dabei folgende Punkte:

- was ihr von dem Rat des Psychiaters haltet
- wie die Menschen in eurem Land zu Schönheitsoperationen stehen

Drei Schüler protokollieren das Gespräch und lesen jeweils ihr Protokoll am Ende vor. Die Klasse entscheidet, welches Protokoll den Inhalt am besten wiedergegeben hat.

Lerntipp – Ergebnisprotokoll
Ergebnisprotokoll zu mündlichen Texten
Um den Inhalt eines Gesprächs schriftlich festzuhalten, schreibt man nur die wichtigsten inhaltlichen Punkte auf. Schreib erst einmal nur Stichwörter – Artikel und Adjektivendungen kannst du später ergänzen; Wörter, die sich wiederholen, kannst du abkürzen. Den Verlauf des Gesprächs brauchst du nicht mitzuschreiben.

GR3 Ausdrücke mit Präpositionen

e Mach eine Tabelle in deinem Heft und schreib die Ausdrücke mit Präpositionen aus b und c in die richtige Spalte.

mit Präposition + Dativ	mit Präposition + Akkusativ
abweichen von	sich wenden an
einverstanden sein mit	gegen etwas sein

f Bilde Sätze mit den Verben und den Ausdrücken in den beiden Kästen:

~~auf den Bus~~ ▪ zu einer Weltreise ▪ für ein großes Genie ▪ von unserem Plan ▪ mit der Prüfung ▪ mit dem Autokauf ▪ mit einem großen Eis ▪ unter dem Stress ▪ an einen Psychologen ▪ zu einer Schlankheitskur

leiden ▪ sich entschließen ▪ ~~warten~~ ▪ sich halten ▪ einverstanden sein ▪ raten ▪ sich wenden ▪ sich trösten ▪ abweichen ▪ unzufrieden sein

Ich warte schon eine Stunde auf den Bus.

B2 Interview mit einem Psychologen: Warum so viele Teenager eine Schönheitsoperation wollen

32–34

a Hör das Interview. In welcher Reihenfolge hörst du folgende Themen?

- ▢ Rolle der Medien
- ▢ Altersgrenze für Schönheitsoperationen?
- ▢ Verhältnis der Jugendlichen zu ihrem Körper
- ▢ Einflüsse des Elternhauses
- 1 Schönheitsoperationen: Ein Phänomen unserer Zeit
- ▢ Rat des Psychologen
- ▢ Was den Jugendlichen an ihrem Körper nicht gefällt
- ▢ Gründe für eine Schönheitsoperation

Dr. Papadopulos,
jeden Dienstag,
16.04., 18.30 Uhr

b Hör das Interview noch einmal und mach Notizen zu den Themen. Schreib dann für eure Schülerzeitung einen Bericht über das Interview.

Nach Meinung von ...
Herr P. hält ... für ..., weil ...
Er betonte (auch), dass ...
Außerdem ...
Er rät ...
Er sieht den Grund für ... in ...

C Integration von Menschen mit Behinderung

C1 Normal

a Überlegt zusammen in der Klasse, was ihr bei einem Menschen „normal" findet (Aussehen, Verhalten) und sammelt eure Ideen an der Tafel.
Kennt ihr jemanden, der dieser Norm entspricht? Berichtet über diese Person.

b Lies das Gedicht.

Lisa ist zu groß.
Anna ist zu klein.
Daniel ist zu dick.
Emil ist zu dünn.
Fritz ist zu verschlossen.
Flora ist zu offen.
Cornelia ist zu schön.
Erwin ist zu hässlich.
Hans ist zu dumm.
Sabine ist zu clever.
Traudel ist zu alt.
Theo ist zu jung.
Jeder ist irgendetwas zu viel.
Jeder ist irgendetwas zu wenig.

Jeder ist irgendwie nicht normal.

Ist hier jemand,
der ganz normal ist?
Nein, hier ist niemand,
der ganz normal ist.

Wie findest du es, dass kaum jemand wirklich der Norm entspricht?
Wie verhältst du dich gegenüber Menschen mit „Abweichungen"? Diskutiert in der Klasse.

C2 Was ist denn nun mit deiner Schwester?

a Die Schwester eines körperbehinderten Mädchens berichtet, wie andere auf die Behinderung ihrer Schwester reagieren. Bring die Textabschnitte auf der folgenden Seite in die richtige Reihenfolge.

b Notiere die Wörter oder Ausdrücke, die dir dabei geholfen haben.

Konjunktionen: **Denn** wenn es etwas gibt ...
Wiederholung desselben Wortes: **Hydrocephalus**
Hinweisende Pronomen: **Solchen** Idioten

1 Nicht jede Behinderung ist offensichtlich. Trotzdem kann es eine schwere sein und dann ist es trotzdem nicht einfach, mit dieser Behinderung umzugehen. „Sag mal, ist deine Schwester jetzt behindert oder nicht? Die wirkt so normal!“

2 Als sie mit vier Jahren laufen lernte, haben die Ärzte gesagt, dass es an ein Wunder grenzt[1], dass sie das könne. Sie geht auf eine Körperbehindertenschule und überhaupt ist ihr Leben an ihre Behinderung angepasst. Ihr fehlt der Gleichgewichtssinn[2], um selbstständig Fahrrad zu fahren, also fährt sie mit meiner Mutter auf einem Behindertentandem (eigentlich wie ein normales Tandem, nur dass der vorne tiefer sitzt). Sie und wir sind damit zurechtgekommen[3]. Für unsere Familie ist sie ein ganz wichtiger Mensch. Mich stört ihre Behinderung nicht, aber leider andere.

3 Diesen Satz habe ich so oder so ähnlich schon dutzendmal gehört. Von Menschen, die meine Schwester zum ersten Mal sehen und von ihrer Behinderung nur aus Gesprächen wissen. Meine Schwester, 13 Jahre alt, wirkt tatsächlich sehr normal. Wenn ich es nicht besser wüsste, würde ich auch sagen, sie ist „normal“, genau wie andere Mädchen in ihrem Alter auch:

4 Denn wenn es etwas gibt, was noch sehr außergewöhnlich ist, dann ist es ihr Mundwerk. Sie redet, wie sie will und was sie will. Das ist wörtlich zu nehmen, denn sie traut sich, jedem unverfroren ihre Meinung zu sagen, egal ob es was Gutes oder Schlechtes ist. Und so kriegen auch oben genannte Idioten ihr Fett weg[4]. Und immer, wenn so etwas passiert, bin ich wütend, dass es immer ein paar geben muss, denen alles außer dem „Normalen“ suspekt ist und die deshalb feindlich und fies[5] reagieren.

5 Sie guckt „GZSZ“ und „Berlin, Berlin“, räumt ihr Zimmer nur ungern auf und hat genauso Jungsprobleme. Der Unterschied wird mir erst so richtig bewusst, wenn ich ihr bei den Hausaufgaben helfen soll. Mathe, rechnen bis 100. Sachen, die ich in der ersten Klasse lernte und die sie jetzt erst, in der siebten, macht. Meine Schwester hat einen Hydrocephalus. Das kann man etwa mit „Wasserkopf“ übersetzen. Und das ist es auch.

6 Bei einem Hydrocephalus kann Wasser nicht mehr aus dem Gehirn abfließen und der Druck im Kopf erhöht sich. Dabei kann der Kopf unnatürlich deformiert werden (weil er sich ausdehnt) oder es werden Gehirnzellen zerstört.

7 Bei meiner Schwester ist Letzteres eingetreten. Da sie den Hydrocephalus noch im Mutterleib hatte, konnte man nichts dagegen tun. Aber sofort nach ihrer Geburt wurde sie operiert. Man hat ihr ein Ventil in den Kopf eingesetzt und über einen Schlauch fließt das Wasser dann in ihren Bauchraum. Meine Schwester hat nur eine geringe Sehkraft und wenn sie läuft, kann man vielleicht schon sehen, dass sie körperlich behindert ist.

8 Solchen Idioten gehört ordentlich die Meinung gesagt. Bis ich so ungefähr zwölf war, habe ich weggeguckt und Angst gehabt, den Mund aufzumachen. Heute lasse ich solche Sachen nicht mehr zu. Aber meistens verteidigt sie sich von ganz allein.

9 Ich bin aber auch immer froh, dass die meisten Menschen nicht so denken, doch diese Idioten kann ich nicht verstehen. Beim besten Willen nicht. Eine Behinderung entscheidet ja nicht darüber, ob man ein netter Mensch mit Zielen und Träumen ist. Ob man „normal“ ist. Aber wer bitte ist schon „normal“? Meine Schwester und ich auch nicht!

10 Vollkommen nette Menschen, die, wenn die Sprache auf Behinderte kommt, so einen komischen Blick kriegen und auf Distanz gehen. Menschen, die auf der Straße auf Rollstuhlfahrer oder Kinder mit Down-Syndrom[6] deuten und lachen. Oder blöd auf meine Schwester zeigen und laut rufen: „Boah, du läufst aber komisch. Hey, guckt euch die mal an!“

[1] es grenzt an Wunder: man hatte es nicht erwartet, es ist wie ein Wunder
[2] der Gleichgewichtssinn: Fähigkeit von Menschen und Tieren, eine bestimmte Lage einzunehmen und zu halten, z. B. geradeaus zu gehen, ohne zu schwanken
[3] wir sind damit zurechtgekommen: wir haben das Problem gelöst
[4] sie kriegen ihr Fett weg: sie werden kritisiert, beschimpft
[5] fies: gemein, unfair
[6] Down-Syndrom: eine bestimmte Form von geistiger Behinderung

c Welche Informationen zu den folgenden Themenschwerpunkten gibt es im Text?
- Welche Behinderung hat das Mädchen durch den Wasserkopf?
- Wie gehen sie und ihre Familie damit um?
- Wie reagieren einige Menschen auf die Behinderung?

Notiere und berichte dann deinen Mitschülern in wenigen Worten über das Mädchen.

C3 Integration – einmal umgekehrt

Die Schule für Körperbehinderte öffnet sich für Schüler ohne Behinderung

a Welche Vorteile oder auch Nachteile kann es haben, wenn behinderte und nicht behinderte Schüler in einer Klasse unterrichtet werden?
Überlegt und macht in Partnerarbeit Notizen dazu.

b Lies den Text und beschreibe, wie diese Schule funktioniert.

Die Realschule am Körperbehindertenzentrum Oberschwaben in Weingarten nimmt seit einiger Zeit auch Schüler ohne Behinderung auf.

Die Schüler halten das Integrationsmodell für durchaus positiv. Vor allem, weil die Isolation einer reinen Behindertenschule aufgehoben wird. Nicht behinderte SchülerInnen bringen neue Einstellungen und Lebenserfahrungen mit in die Schule, von denen behinderte Kinder profitieren können. Für körperbehinderte Schüler einer Ganztagesschule ist es oft schwer, nicht behinderte Freunde zu finden. Das Integrationsmodell gibt die Möglichkeit, freundschaftliche Beziehungen aufzubauen und dadurch am öffentlichen Leben teilzunehmen. Auf der anderen Seite lernen nicht behinderte Schüler Körperbehinderte von einer ganz anderen Seite kennen. Das hilft, Vorurteile abzubauen. Dadurch wird ihre Sozialkompetenz gestärkt, weil sie aktiv erkennen, wie wichtig gegenseitiges Helfen ist.
In der Kommunikation im öffentlichen Leben wirken sie als Multiplikatoren. So sind Statements von nicht behinderten Schülern, die neu an unsere Schule kommen, wie beispielsweise „ich war überrascht, wie selbstständig und nett Körperbehinderte sind" keine Seltenheit. Nicht behinderte Schüler können zur Selbstständigkeit der Klasse beitragen, indem sie benötigte Hilfe seitens Zivildienstleistender oder Lehrer ersetzen.
Auch wird nach Aussagen von Schülern das Selbstbewusstsein der Klasse gestärkt, weil sich Nichtbehinderte den Lehrern gegenüber besser durchsetzen können.
Allerdings wurde auch betont, dass der Anteil der nicht behinderten Schüler nicht zu hoch werden sollte. Die derzeitige Zusammensetzung der Klasse aus fünf Nichtbehinderten und 25 Behinderten wird als günstige Mischung angesehen. Bei erheblich mehr Nichtbehinderten bestehe die Gefahr, dass der Charakter einer Körperbehindertenschule mit kleinen Klassen und individueller Hilfe verloren gehen könnte.

Dies wurde in der Diskussionsrunde der Klassen 8–10 zum Thema „Integration" an unserer Schule von Schülern und Lehrern übereinstimmend festgestellt.

c Notiere, welche Vor- und Nachteile sowohl für behinderte als auch nicht behinderte Schüler genannt werden.

behinderte Schüler		nicht behinderte Schüler	
Vorteile	**Nachteile**	**Vorteile**	**Nachteile**
Es ist keine reine Behindertenschule mehr			

Es ist positiv, dass ...
Aber ... würde ich eher negativ beurteilen
Das ist zwar ..., aber ...
Für/Gegen das Modell spricht (,dass) ...
Einerseits ..., andererseits ...

C4 Interview mit der Soziologin Dr. Luise Teller

a Hör das Interview und löse die Aufgaben.

1 Warum hält Frau Teller es für sinnvoll, dass behinderte und nicht behinderte Schüler zusammen unterrichtet werden?
- a Weil sie im Erwachsenenalter mehr Vorurteile haben.
- b Wenn man ständig mit Behinderung konfrontiert ist, wird sie zu einem alltäglichen Phänomen.
- c Weil die Behinderten von den Nichtbehinderten viel lernen können.

2 Welche Erfahrungen hat Frau Teller mit dem integrativen Unterricht gemacht?
- a Es war selbstverständlich, dass die nicht behinderten Schüler den Behinderten geholfen haben.
- b Spastisch gelähmte Mitschüler konnten meistens nicht allein auf die Toilette gehen.
- c Die behinderten Schüler konnten nicht am Sportunterricht teilnehmen.

3 Wie hat Frau Teller den gemeinsamen Unterricht mit den behinderten Mitschülern empfunden?
- a Er war sehr gewöhnungsbedürftig.
- b Sie fand ihn ganz natürlich und normal.
- c Man war nicht auf die Probleme vorbereitet, die aufgetreten sind.

4 Warum hält Frau Teller den Unterricht in einer Sonderschule nicht besonders günstig für behinderte Kinder?
- a Weil Behinderte nicht gern isoliert leben möchten.
- b Weil Behinderte in der Pubertät mit der Tatsache konfrontiert werden, dass sie anders sind als die anderen.
- c Weil sich die Behinderten schon früh daran gewöhnen sollten, dass sie anders sind als die übrigen Mitglieder der Gesellschaft.

5 Ist die Angst der Eltern nicht behinderter Kinder berechtigt, dass ihre Kinder in Integrationsklassen nicht genug lernen?
- a Frau Teller ist vom Gegenteil überzeugt.
- b Frau Teller ist der Meinung, dass die behinderten Schüler sogar fleißiger sind.
- c Frau Teller glaubt das nicht.

6 Inwiefern haben die Lehrer behinderte und nicht behinderte Schüler unterschiedlich behandelt?
- a Sie haben Rücksicht auf die Behinderung genommen, aber die gleiche Leistung verlangt.
- b Sie haben die behinderten Schüler besser beurteilt.
- c Behinderte Schüler brauchten keine Hausaufgaben zu machen.

7 Was antwortet Frau Teller auf die Frage nach den Vor- und Nachteilen des integrativen Unterrichts?
- a Die behinderten Schüler profitierten vor allem vom sensiblen Verhalten der Nichtbehinderten.
- b Es gab Vorteile für beide Gruppen.
- c Die Nichtbehinderten erkannten, wie bevorzugt sie im Vergleich zu den Behinderten waren.

b Wie findet ihr den gemeinsamen Unterricht von behinderten und nicht behinderten Schülern? In welche Schulen gehen behinderte Kinder und Jugendliche in eurem Land? Sprecht darüber in der Klasse.

D Körpersprache

D1 Handzeichen – und ihre Bedeutung

a Schau dir die Handzeichen an. Gibt es diese auch in deinem Land? Was bedeuten sie?

b Was bedeuten die Bewegungen in Deutschland? Ordne die Bilder den Aussagen unten zu. Vergleiche sie mit den Bedeutungen in deinem Land.

a. Mund halten, Ohren spitzen! ▪ b. Ich höre aufmerksam zu! ▪ c. Sieg! ▪ d. Das ist super! ▪ e. Wie bitte? ▪ f. Ich bin müde! ▪ g. Ich drück dir die Daumen (Ich wünsche Glück/Erfolg)! ▪ h. Halt! Bis hierher und nicht weiter!

D2 Der Körper und seine Sprache

a Welche Bewegungen bzw. Haltungen gehören zur Körpersprache? Überlegt zu zweit und sammelt anschließend an der Tafel.

b Lies den Text. Welche der auf der folgenden Seite aufgeführten Aussagen treffen zu? Korrigiere die falschen Aussagen.

Verhalten, Arm- und Beinhaltung, Ausdruck der Augen, Mundwinkel oder Hände verraten unsere Gedanken, Ängste und Begierden – sie zeigen unser Seelenleben. Auch die Körperfülle, Kleidung, Stimme, Frisur und Details des Gesichts sind Informationsquellen, aus denen man auf Charaktereigenschaften oder auf Stimmungen schließen kann. Was gehört alles zur Körpersprache und wie deutet man sie richtig bzw. wie setzt man sie richtig ein?

Statische und dynamische Zeichen

Zur Körpersprache gehören

- die Körperhaltung,
- die Mimik (Gesichtszeichen),
- die Gestik (die Handzeichen). 5

Sie enthalten jeweils statische und dynamische Zeichen. Die statischen Zeichen sind unter anderem die Nasenform, die Augenform, die Form der Finger und Fingernägel usw. So kann die Form einer Nase und damit der Ge- 10 sichtsausdruck auf uns sympathisch wirken – oder nicht. Ein dynamisches Zeichen ist zum Beispiel die Art unserer Bewegung, etwa die Art zu gehen.

Einen Teil der Körpersprache können wir nicht erlernen. Er ist angeboren und hat auf der ganzen Welt die gleiche Be-
15 deutung. So steht das Hochziehen der Mundwinkel für „Fröhlichkeit" und das Herunterhängen der Mundwinkel für Traurigkeit. Den anderen Teil der Körpersprache haben wir durch Nachahmung erlernt. Dazu gehört unter anderem die Gestik. Man kann sie trainieren, zum Beispiel
20 das Lächeln bei Verkaufsgesprächen. Allerdings haben sie nicht in jeder Kultur die gleiche Bedeutung.

Ausdruck der Gefühle

Die Körpersprache dient dazu, Freude, Zorn, Zuneigung oder Widerwillen zum Ausdruck zu bringen. Sie drückt un-
25 sere Gefühle aus, wobei es uns schwerfällt, unsere Gefühle zu verbergen. Wenn wir mit Worten etwas sagen, müssen unsere Worte mit unserer Körpersprache übereinstimmen. Sonst sind wir unglaubhaft. Ein Beispiel: Ein Schüler steht in der Klasse und soll ein Gedicht aufsagen.
30 Er hat es aber nicht gut gelernt. Er möchte am liebsten im Erdboden versinken, zieht den Kopf ein und wird rot im Gesicht. Sein Körper spricht! Wenn er in dieser Situation sagen würde, „Gut, dass ich drankomme, denn ich habe das Gedicht gelernt", würde es ihm niemand glauben
35 oder man würde seine Worte für Ironie halten. Es kommt also nicht nur darauf an, was jemand sagt, sondern auch, wie er es sagt. Unbewusste Signale des Körpers verraten oft mehr als Worte.

Körpersprache sollte man nicht werten. Es gibt keine
40 „gute" oder „schlechte" Körpersprache. Außerdem muss man jede einzelne körpersprachliche Darstellung immer im Zusammenhang sehen. Es gibt kulturelle Unterschiede, Unterschiede zwischen Mann und Frau, Erwachsenen und Kindern, Unterschiede, die sich aus sozialem
45 Status und Rollenverhalten einer Person erklären oder nur im Kontext zu verstehen sind. Jedes einzelne Bild der Darstellung ist wie ein Wort in einem Satz. Erst der ganze Satz führt zu einer Aussage. Ein Beispiel: Ein Schüler verschränkt während eines Lehrervortrags die Arme vor der
50 Brust. Das zeigt: Er hört aufmerksam und gelassen zu. Wird er dagegen vom Lehrer wegen nicht gemachter Hausaufgaben zur Rede gestellt, handelt es sich dabei um eine Abwehr- und Schutzhaltung.

Kulturelle Unterschiede

55 Eine unüberlegte Gestik kann zu Missverständnissen führen, denn sie bedeutet nicht in jeder Kultur das Gleiche. In Deutschland begrüßen wir zum Beispiel jemanden, indem wir ihm die Hand schütteln und dabei in die Augen sehen. In Japan ist es dagegen eine Beleidigung,
60 jemandem bei der Begrüßung in die Augen zu sehen – man schaut vielmehr auf einen Punkt unterhalb des Halses und oberhalb der Brust. An deutschen Schulen wird gern ein Handzeichen verwendet, das „Ohren spitzen, Mund halten" bedeutet. In Italien bedeutet dieses Zei-
65 chen dagegen „seinen Ehemann betrügen"; in der Türkei steht es für eine politische Gruppierung.

1 Mit Körpersprache und Aussehen drücken wir unsere Gedanken und Stimmungen aus.
2 Unter statischen Zeichen versteht man das Outfit, das man jederzeit verändern kann.
3 Bestimmte Äußerungen der Körpersprache werden überall auf der Welt gleich interpretiert.
4 Lächeln und Gestik sind Teile der Körpersprache, die wir von unseren Vorfahren geerbt haben.
5 Körpersprache drückt oft auch Dinge aus, die wir eigentlich gar nicht verraten wollen.
6 Eine bestimmte Haltung hat auch in verschiedenen Situationen immer dieselbe Bedeutung.
7 Manche Gesten hängen mit Konventionen zusammen, die je nach Kultur verschiedene Bedeutungen haben können.

c Sucht euch zu zweit eine Person aus. Beschreibt ihre Körpersprache und erfindet eine Geschichte dazu.

1

2

3

4

Mit neuen Ideen in die Zukunft

Was wird die Zukunft bringen?
Beschreibt, was in der Collage zu sehen ist, und diskutiert darüber in der Klasse.

A

Ein Blick in die Zukunft von damals

Wie sich die Menschen unsere Gegenwart vorstellten

a Überlegt zusammen in der Klasse, wie sich die Menschen vor etwa 50 Jahren wohl die Zukunft vorgestellt haben, und sammelt eure Gedanken an der Tafel.

Fabriken unter Wasser
Landung auf dem Mars ...

b Lest dann den Text und notiert die Zukunftsvisionen der Menschen.

Fliegende Autos, Wegwerf-Kleidung aus Papier und Städte unter Wasser: So hätte die Welt ausgesehen, wenn sich die Zukunftsprognosen des vergangenen Jahrhunderts erfüllt hätten.

An die Zukunft waren gerade in technischer Hinsicht große Erwartungen geknüpft. Die Menschen gingen davon aus, dass die Technik, die sich rasant entwickelte, die Welt von Grund auf verändern würde – dass das Leben nicht mehr auf der Erde, sondern auf dem Mond stattfinden würde. Oder dass jeder statt mit einem Auto mit einem fliegenden Privatjet unterwegs ist.

5 Für den Transport größerer Gruppen gab es die Idee von Zügen, die sich in Röhren mit Vakuum fortbewegen. Das Vakuum sollte dafür sorgen, dass es keinen Luftwiderstand gab und die Züge daher ungebremst durch die Röhren sausen können. In diesem Zusammenhang gab es auch die Überlegung einer magnetischen Bahn, die ja in der Zukunft tatsächlich als Transrapid umgesetzt wurde.
Der Transrapid ist eine von den Visionen, die heute Realität sind – wenn auch noch nicht als Massenprodukt.
10 Es gab aber auch Vorstellungen von Fortbewegungsmitteln, die heute alltäglich sind. Zum Beispiel fahrende Gehsteige, wenn auch etwas verändert als Laufbänder an Flughäfen.

Im Vergleich zu den Verkehrsmitteln hat sich in Sachen futuristisches Wohnen weniger getan. Hätten sich die Konzepte von damals durchgesetzt, würde ein Großteil der Erdbevölkerung heutzutage auf dem Mond oder unter Wasser leben.

15 Nicht nur die Menschen, sondern ganze Industriezweige sollten ins ewige Eis oder auf den Meeresgrund verlegt werden. Unter künstlichen Klimabedingungen und mit einem Atomkraftwerk direkt nebenan, das die nötige Energie liefert. Unter dem Meer sollten die „Weiden der Zukunft" entstehen – Äcker, auf denen Nahrung, Futtermittel und Rohstoffe erwirtschaftet werden sollten.

Ab dem Jahr 1958 wurde in verschiedenen amerikanischen Zeitungen der Comic „Closer than we think" von
20 Arthur Radebaugh abgedruckt. Die kleinen Episoden zeigen jedes Mal eine andere Zukunftsvision. Von kleinen Fernsehern in der Armbanduhr, über Wegwerf-Kleidung aus Papier bis hin zu schwebenden Häusern, die eine Anti-Gravitationsvorrichtung haben. Teilweise waren die Prognosen zumindest technisch denkbar, teilweise jedoch völlig abwegig.

Erfindungen wie das Auto, der Computer oder das Internet wurden in der Vergangenheit überhaupt nicht be-
25 achtet oder als unnütz abgetan. Ein Mitbegründer der Digital Equipment Corporation sagte 1977: „Es gibt keinen einzigen Grund, warum irgendjemand einen Computer bei sich zu Hause haben möchte." Eine klare Fehleinschätzung, wie die Menschheit heute weiß.

Egal, ob die Visionen von damals nun eingetreten sind oder nicht: Der Blick in die Vergangenheit macht es möglich, sich die Welt vorzustellen, wie sie sein könnte. Eine Welt mit Städten unter Wasser, Privatjets und
30 Vakuum-Zügen. Und besonders die Visionen, die am abwegigsten sind, machen doch am meisten Spaß.

c Lies den Text noch einmal und schreibe Sätze wie im Beispiel. Das haben die Menschen damals gedacht:

Die Technik wird die Welt total verändern.

1 ~~Die Technik~~		a. in großen Röhren fahren.
2 Die Menschen		b. auf dem Mond leben.
3 Die Häuser		c. kleine Fernseher enthalten.
4 Jeder Mensch		d. ~~die Welt total verändern.~~
5 Die Züge	wird/werden	e. man nur einmal benutzen und dann wegwerfen.
6 Man		f. keine besondere Rolle für die Menschen spielen.
7 Ein Teil der Industrie		g. frei in der Luft schweben.
8 Atomkraftwerke		h. sein eigenes Privatflugzeug haben.
9 Lebensmittel		i. sich auf Laufbändern fortbewegen.
10 Armbanduhren		j. die Energie für die Industrie produzieren.
11 Kleidung		k. wird auf dem Meeresboden angesiedelt sein.
12 Computer		l. unter dem Meer angebaut werden.

d Wie denkt man heute über solche Zukunftsvisionen? Sprecht darüber in der Klasse.

... ist verwirklicht worden
... wäre heute unrealistisch/nicht mehr vorstellbar/technisch überholt
... ist immer noch ein Wunschtraum der Menschen
Man ist der Verwirklichung von ... ein Stück nähergekommen

B Wie stellst du dir deine Zukunft vor?

B1 Lebenslinien

Der folgende Hörtext „Lebenslinien" ist aus dem Jugendbuch „Aber ich werde alles anders machen".

Kiki hat Angst: vor dem geregelten Leben, wie ihre Eltern es führen, vor dem selbst verdienten Geld oder der Einbauküche später, wenn sie Hausfrau ist und vielleicht Ehefrau von Rollo, dem guten anständigen Jungen, auf den eine Laufbahn als Beamter wartet. Kiki will mehr, will ihr Leben selbst bestimmen. Sie will alles anders machen.

Dagmar Chidolue ist 1944 in Ostpreußen geboren. Sie studierte politische Wissenschaften und Jura. Von ihr wurden mehrere Jugendromane veröffentlicht.

Kiki und ihr Cousin Willi machen zusammen Ferien auf dem Land. An einem Nachmittag baden sie in der Elbe, liegen dann am Strand und sagen sich gegenseitig die Zukunft voraus.

a Hör den ersten Teil des Textes zweimal. Welche Aussagen sind richtig? Korrigiere die falschen Aussagen.

1 In einem Jahr ist deine Ausbildung zu Ende.
2 Du wirst in einer Schifffahrtsgesellschaft arbeiten.
3 Du wirst eine Familie gründen.
4 Später wirst du Angestellter bei einer großen Firma.
5 Du wirst in einer Etagenwohnung in der Stadt wohnen.
6 Du, deine Frau und deine Kinder werden ein konventionelles Familienleben führen.
7 Du wirst wohl mit deinem Leben nicht ganz zufrieden sein, weil du nicht genug erreicht hast.

b Sammelt, was ihr bisher über Willi erfahren habt und beschreibt ihn. Spekuliert, wie er Kiki besser gefallen würde. Hört dann den zweiten Teil des Textes und vergleicht mit euren Spekulationen.

GR1 Zukunft

1 Präsens + Zeitangabe (neutrale Zukunft)

In einem Jahr ist deine Ausbildung zu Ende.

■ Zukunft drückt man meistens mit dem Präsens und einer Zeitangabe aus.

2 Futur I (modale Zukunft)

Ich werde alles anders machen. Ich werde unabhängig sein.	Plan, Absicht, Wunsch
Du wirst in einer Schifffahrtsgesellschaft arbeiten. Du wirst mit deinem Leben nicht ganz zufrieden sein.	Prognose, Vermutung

■ Futur I nimmt man in diesen Kontexten für Plan, Wunsch, Absicht und Prognose.
Vermutungen mit Futur I beziehen sich oft auf die Gegenwart und werden durch Ausdrücke wie *wohl, wahrscheinlich, vermutlich* verstärkt: „Sie wird wohl gerade an der Elbe sein und baden." Das bedeutet: „Ich vermute, dass sie jetzt an der Elbe ist und badet."

c Lies deinem Nachbarn aus der Hand und sag ihm die Zukunft voraus. Benutze die Redemittel im Kasten.

Freundschaft, Liebe	**Beruf**	**Leben, Wohnen**
kennenlernen	Karriere machen als	Hochhaus
begegnen	ein/e groß/e/r ... werden	Einfamilienhaus
sich verlieben in	reich/berühmt werden	Bauernhaus
heiraten		Segeljacht

B2 Ein Blick in die Zukunft

Beschreibe die Situationen. Wie wird es wohl weitergehen?
Erzähle und nimm dazu das Präsens (+ Zeitangabe) oder Futur I.

Anscheinend / Es sieht so aus, als ob ...
Möglicherweise / Vielleicht / Vermutlich / Wahrscheinlich ...
Ich glaube / vermute / nehme an / bin ziemlich sicher, dass ...

B3 Beiträge von Jugendlichen in einem Internetforum

a Lies die Beiträge. Worüber tauschen sich die Jugendlichen aus?
Welcher Meinung möchtest du vor allem zustimmen? Warum?

Hi, Leute! Melde mich zurück aus den Ferien mit einem neuen Thema: Ich möchte gern wissen, wie ihr euch die Zukunft vorstellt. Seht ihr Endzeit-Szenarien? Sieht die Zukunft bei euch ganz friedlich und harmonisch aus, eine bessere Welt? Oder bleibt ganz einfach alles beim Alten? Oder wird sogar alles schlechter?

Ich kann diese pessimistischen Szenarien nicht leiden. Ich glaube einfach, dass der Mensch kreativ und einfallsreich ist. Er wird eine Lösung finden, auch wenn es im Augenblick nicht so gut aussieht.

Arbeitslosigkeit, teure Lebensmittel, immer weiter steigende Spritpreise – nicht gerade tolle Aussichten! Ob das noch zu ändern ist? Auf jeden Fall bringt es gar nichts, sich jetzt verrückt zu machen. Ich lass die Dinge auf mich zukommen. Irgendwas wird uns schon einfallen!

Was mir dazu einfällt, sind vor allem Katastrophen. Nicht im persönlichen Bereich, nicht am Arbeitsplatz, sondern in der Gesellschaft, in unserer Umwelt. Es sind einfach schon viel zu viele Fehler gemacht worden, zu viel ist passiert. Meist wird etwas verändert, ohne dass man überlegt, welche Auswirkungen das auf das gesamte Gesellschafts- oder Ökosystem hat. Und dann kann man das nicht mehr rückgängig machen.

Wenn man sich's genau überlegt, dann sollte man am besten keine Kinder in die Welt setzen, denn wie würden die dann leben! Bald gibt es keine Bäume mehr, die uns Menschen Luft zum Atmen geben. Das heißt, dass ich die Zukunft ganz pessimistisch sehe.

Wir machen uns umsonst verrückt!! Unsere Eltern waren mindestens genauso pessimistisch, was ihre Zukunft betraf! Von all dem, wovor die Angst hatten, ist doch gar nichts passiert!

b Schreibe selbst einen Beitrag für das Internetforum, in dem du über deine eigenen Zukunftsvorstellungen berichtest.

Ich möchte/werde ... / Die Menschen werden ... / Vielleicht ... / In unserer Gesellschaft wird es ... geben. / Ich könnte mir vorstellen, dass ... / Ich glaube, dass ... / Möglicherweise ...

C Zukunfts-Planspiel: Eine Zeitreise in die Zukunft

a Lies den Text und ordne den Abschnitten die Überschriften aus dem Kasten zu.

A: Wie mehr Interesse an Technik- und Ingenieurberufen geweckt werden kann ▪ B: Unterwegs „in die Zukunft" ▪ ~~C: Warum Unternehmen Planspiele durchführen~~ ▪ D: Was das Planspiel bei den Mädchen bewirkt hat ▪ E: Neuartige Bankfiliale ▪ F: Umsetzung der Ideen in die Praxis? ▪ G: Was ist das Planspiel „Jugend denkt Zukunft?" ▪ H: Interessante Informationen für die Mädchen ▪ I: Positive Ergebnisse von Planspielen ▪ J: Leuchtende Getränkeflaschen ▪ K: Sensationelle Erfindung der Mädchen ▪ L: Thema dieses Planspiels ▪ M: Vorkenntnisse der vier Mädchen über Technik

1

Beispiel: *C: Warum Unternehmen Planspiele durchführen*

Technik? „Laaangweilig", finden viele Jugendliche. Darum laden Unternehmen überall in Deutschland Schüler zum Planspiel ein. Sie sollen sich vorstellen, es sei bereits 20 Jahre später, und bei Projekt-5 wochen auch neue Produktideen entwickeln.

2

____

Lisa, Alina, Miriam und Antonia haben sich in die S-Bahn gesetzt und sind zum Hasso-Plattner-Institut für Software-Systemtechnik gefahren. Gelandet sind sie in der Zukunft, im Jahr 2030, um genau zu 10 sein.

3

____

„Jugend denkt Zukunft" heißt das Planspiel, bei dem die Schülerinnen mitmachen. Ein Unternehmen übernimmt die Patenschaft[1] für eine Schüler-Projektwoche. Es zahlt 6000 Euro für die Organisa-15 tion, stellt Mitarbeiter und Räume zur Verfügung. Außerdem gibt es ein Thema vor, mit dem sich die Schüler fünf Tage lang beschäftigen sollen.

4

____

Diesmal diskutieren 22 Schülerinnen des Schadow-Gymnasiums in Berlin-Zehlendorf eine Frage, mit 20 der sich Uni-Professoren, Politiker und Unternehmer schon seit geraumer Zeit befassen: Wie lassen sich mehr Mädchen für Informationstechnologie-Berufe begeistern?

5

____

Die gehen in die 10. Klasse. Für Technik haben sie 25 sich bisher kaum interessiert. Natürlich kann jedes der Mädchen mit dem Computer umgehen, und auch ein eigenes Handy hat jede von ihnen in der Hosentasche. Aber wie die Geräte genau funktionieren, war ihnen bisher egal.

6

____

30 Dies änderte sich während der Projektwoche, unter anderem weil die Schülerinnen Besuch von Studentinnen der Technischen Universität Berlin bekamen. „Es war spannend zu hören, dass man gar nicht nur ein Fach wie zum Beispiel Physik oder Biologie stu-35 dieren muss, sondern auch was ganz anderes machen kann", sagt eine Schülerin. „In der Schule lernt man einfach zu wenig darüber, was ein Ingenieur genau macht und was es alles für Berufe gibt."

7

____

Mit einem neuen Schulfach, das schon ab der er-40 sten Klasse unterrichtet werden soll, wollen die jungen Berlinerinnen das ändern. „Naturwissenschaftliche Zukunftsvorbereitung", kurz „NZV" werde es heißen. Einmal in der Woche soll es 90 Minuten lang über Technik- und Ingenieurberufe informie-45 ren. „Da kommen dann Studenten in die Schule und erzählen von ihrem Studium", sagt Larissa. Und die Schüler würden Exkursionen zu Firmen machen.

8

50 Lisa Garczarek, Alina Klein, Miriam Schartner und Antonia Groß finden es wichtig, „dass man den Frauen zeigt, was mit Technik alles möglich ist". Deshalb haben sie „Cosmik, den digitalen Schminkkoffer" erfunden. Es gibt ihn bisher nur auf dem Papier. Statt in einem Spiegel kann sich die Besitzerin des Köfferchens in einem Display betrachten. Der 55 eingebaute Scanner liest die Gesichtszüge ein und der Computer berechnet, was einem gut steht. Außerdem filmt er die ganze Zeit, sodass man sich mit Freundinnen über das neue Outfit beraten kann", erklärt Lisa. Die 15-Jährige trägt schwarze 60 knielange Stiefel über den engen Jeans. „Glamour" steht in goldenen Buchstaben auf ihrem T-Shirt geschrieben.

9

Ob es das neue Schulfach oder den digitalen Schminkkoffer eines Tages tatsächlich geben wird? 65 Mareike Rückziegel vom Institut für Organisationskommunikation (IFOK) hält das für möglich. Ihre Firma organisiert die Schüler-Projektwochen, die es seit dem Jahr 2004 gibt. „Und in dieser Zeit sind schon eine ganze Reihe der Schülerideen tatsäch-70 lich umgesetzt worden", sagt Rückziegel.

10

So gibt es im Raum Rhein-Neckar seit Februar 2006 eine Bankfiliale für Jugendliche – ganz wie es sich die Neuntklässler der Feudenheim Realschule in Mannheim in einer „Jugend denkt Zukunft"-Pro-75 jektwoche ausgedacht haben. Dort finden die Kunden Internet-Terminals, gemütliche Sofaecken, ein buntes Wandbild, Snacks, einen Getränkeautomaten und eine junge Filialleiterin, die kein Kostüm trägt, sondern Jeans und Polohemd. Das scheint 80 gut anzukommen: Die VR-Bank Rhein-Neckar plant, noch mehr Jugendfilialen zu eröffnen.

11

Vielleicht wird es eines Tages auch Getränkeflaschen geben, die im Dunkeln leuchten. „Unsere Entwicklungsarbeit prüft derzeit die Idee der Neunt-85 klässler von der Geschwister-Scholl-Realschule", sagt Coca-Cola-Marketing-Mann Markus Seitz. In ein bis zwei Jahren werde eine Entscheidung gefällt.

12

„Von den ‚Jugend denkt Zukunft'-Spielen profitieren 90 alle", sagt Mareike Rückziegel. Den Schülern winkten Praktikums- und Ausbildungsplätze, außerdem könnten sie sich das Berufsleben nach der Projektwoche viel besser vorstellen. „Und die Firmen freuen sich darüber, dass nicht ihre Mitarbeiter dar-95 über nachdenken müssen, wie die Zukunft eines Produkts aussehen wird – sondern die Zielgruppe[2] tut dies selbst."

13

Lisa, Alina, Miriam und Antonia können sich nach der Projektwoche „schon eher vorstellen, was Tech-100 nisches zu studieren". Der kleine Ausflug ins Jahr 2030 hat sie neugierig gemacht.

[1] die Patenschaft übernehmen: Mitverantwortung tragen
[2] die Zielgruppe: hier: die Verbraucher

b Lies den Text noch einmal und notiere kurze Antworten auf folgende Fragen:
- Was ist ein Zukunftsplanspiel überhaupt?
- Welche Ideen (Vorschläge?) wurden bereits in die Praxis umgesetzt, welche noch nicht?
- Kann man die Idee der Planspiele als erfolgreich bezeichnen? Warum (nicht)?

GR2 Verben mit Präpositionen

Verben mit Präposition + Dativ	Verben mit Präposition + Akkusativ
jemanden einladen zu	sich interessieren für

c Notiere die Verben mit festen Präpositionen aus Text a und schreib sie in die richtige Spalte.

d Bilde mithilfe der Verben oben und der Fragewörter im Kasten Fragen zum Text. Lass deine Mitschüler antworten.

Wofür? Wobei? Womit? Worüber? Wovon? Wozu? Worin?

D Umwelt hat Zukunft

D1 Falsches Lied

Lies das Gedicht. Was tun die Menschen, was sollten sie tun?

Beispiel:
Statt die Umwelt zu respektieren und zu schützen, sprechen die Menschen nur darüber.

Falsches Lied

Bejammere die Zerstörung der Umwelt
Dann verhindere den notwendigen Wandel.

Bedauere die Verbreitung von Armut
aber lehn ab Reichtum gerecht zu teilen.

Verurteile ausufernde Gewalt
aber zum Eingreifen zu beschäftigt.

Beklage Dich bitterlich über Sexismus und Rassismus
aber wenn DU gefragt wirst
Farbe zu bekennen
zuckst DU mit den Schultern
und suchst Entschuldigungen
dass DU zu beschäftigt bist
oder dass Aktivismus wohl nicht zum Ziel führt.

Erfinde unzählige Ausflüchte
für Deine Trägheit –
Ein HEUCHLER
zu sein
ist viel
zu einfach.

D2 Ökoführerschein: Was ist das eigentlich?

Für Heucheln, wie es in dem Gedicht beschrieben wird, ist keine Zeit mehr. Noch nie war die Umweltbelastung auf unserem Planeten so groß wie heute, aber noch nie war auch die Bereitschaft der Menschen so groß, sich für den Umweltschutz einzusetzen.
Der Ökoführerschein könnte zeigen, was jeder Einzelne durch kleine Schritte dazu beitragen kann.

Lies den Text unten.
Welche der folgenden Aussagen sind richtig? Korrigiere die falschen Aussagen.

1 Für die Teilnahme am Ökoführerschein muss man mindestens 16 Jahre alt sein.
2 Für den Ökoführerschein nimmt man an fünf Umweltseminaren seiner Wahl teil.
3 Beim Ökoführerschein lernt man an praktischen Beispielen, wie man Regeln zum Umweltschutz anwendet.
4 Man erfährt, welche Änderungen in der Gesellschaft nötig sind, damit die Umwelt geschützt wird.
5 Man kann den Ökoführerschein auch statt dem Freiwilligen Ökologischen Jahr oder dem Zivildienst machen.
6 Der Ökoführerschein wird auch im Lebenslauf als zusätzlicher Pluspunkt anerkannt.

Der Ökoführerschein ist eine fünfteilige Seminarreihe für Leute im Alter von 16 bis 25 Jahren. Jüngere und Ältere können bei besonderem Interesse und Engagement nach Absprache auch teilnehmen. Dabei erlebt und erkundet man, was zum Themenkreis Mensch-Umwelt gehört.

Täglich ist in Zeitungen, Schule, Beruf und Alltag von Umweltschutz die Rede. Oft fehlt uns der Überblick. Beim Ökoführerschein bekommst du Ideen und Motivation zur Umsetzung von kleinen Schritten im Alltag, aber auch Informationen, was sich in der Gesellschaft ändern muss. Außerdem bekommst du Tipps für die Berufswahl nach der Schule oder für eine Stelle für das Freiwillige Ökologische Jahr, den Zivildienst o.ä. Der Ökoführerschein kann bei einer Bewerbung auch als Zusatzqualifikation gelten.

Du kannst die Reihenfolge der Seminare und Seminarorte selbst wählen, denn der Ökoführerschein ist wie ein Mosaik, bei dem alle Teile ein Ganzes ergeben.

Träger des Projekts:
Bundesweit: Naturschutzjugend, BUNDjugend, Bund Deutscher PfadfinderInnen
Regional: Ökoteam e.V.-München und andere

D3 Durchblicken statt Wegsehen

a Lies den Text. Welche Informationen bekommt ihr über den Ökoführerschein (Veranstalter, Ort, Tätigkeit, Ziel)?

Mit 15 braucht man einen Mofa-Führerschein, um mobil zu sein. Mit 18 macht man den Führerschein fürs Auto. Damit kommt man leichter zur Disco. Aber wozu braucht man einen Ökoführerschein?

„Einen Ökoführerschein braucht man, um sich in Umwelt und Gesellschaft besser zurechtzufinden", sagt Matthias Spittmann, genannt „Spitti", von der BUNDjugend[1]. Außerdem bekommt man mit dem Ökoführerschein leichter eine Stelle für das Freiwillige Ökologische Jahr oder eine Zivi-Stelle[2] im Umweltbereich.

„Spitti" ist 24 Jahre alt und studiert Jura in Berlin. Er betreut mit Gartenbau-Studentin Birke, 21, auf dem Schulbauernhof Gut Gollin in Brandenburg ein Seminar mit dem Titel „Gemeinsam aktiv". Es ist Teil einer Seminarreihe, die Jugendliche besuchen können. Dafür bekommen sie am Ende den Ökoführerschein und nach einer Zusatzqualifikation auch die „JugendleiterIn Card". Das berechtigt sie, Jugendgruppen zu betreuen. 17 Jugendliche nehmen an dem Seminar auf Gut Gollin teil, darunter vier Jungen. Die meisten haben das Gefühl, etwas für die Umwelt tun zu müssen. Was genau, wissen sie nicht.

Dorothee, 18, hat in einem Berliner Café einen Artikel über den Ökoführerschein gelesen und sich spontan zur Teilnahme am Seminar entschlossen. Sie hat bereits ein Jahr auf einem Öko-Bauernhof in der Schweiz verbracht. Davon ist sie noch heute begeistert. Umweltthemen interessieren sie. Trotzdem war sie zunächst skeptisch: „Ich habe eigentlich befürchtet, dass hier nur Vegetarier und der harte Öko-Kern[3] zusammenkommen, aber das sind schon ganz normale Leute, die – wie ich – auch mal einen Hamburger essen." Den Ökoführerschein empfiehlt sie inzwischen auch all ihren Freunden.

Neben ihr sitzt Kersten, 17. Er hat vor drei Jahren den Umweltklub „Tiere" in seinem 500-Einwohner-Dorf Dolgelin gegründet. Die Mitglieder des Klubs räumen Müll weg, organisieren Bootstouren, beobachten Rehe, Hasen und Füchse und sind im Internet aktiv. „Industrie", sagt Kersten, „ist eben nicht so mein Ding. Vielleicht, weil ich in einem winzigen Dorf mitten in der Natur lebe.“ Demnächst will er eine Umweltgruppe an seiner Schule gründen. So viel Engagement zahlt sich aus. Der Vorstand des „Tiere“-Klubs hat ihn zum Seminar nach Brandenburg geschickt. Schließlich kann ein Ökoführerschein nicht schaden.

Laura, 17, war schon mit 12 Jahren Mitglied der BUNDjugend. Als Austauschschülerin ist sie ein Jahr in Südafrika gewesen. Sie findet es „sehr schade, dass dort ökomäßig für Jugendliche überhaupt nichts läuft“. Die Ovo-Lakto-Vegetarierin[4] hat mit 15 begonnen, Seminare für den Ökoführerschein zu besuchen. Sie glaubt, dass sie auf Gut Gollin nicht sehr viel Neues gelernt hat.

Katrin Kahl ist Diplom-Pädagogin und beliefert Selbstversorgergruppen[5] in Berlin und Brandenburg mit Lebensmitteln. Auf Gut Gollin informiert sie über „Öko-Landbau“ und „natürliche Ernährung“. Sie erklärt, dass ein Öko-Bauer Energie und Rohstoffe spart, auf Chemie verzichtet und so biologisch hochwertige Lebensmittel produziert. „Im Gegensatz dazu“, sagt Katrin, „schädigt die industrielle Produktion bei zugegeben immer höheren Erträgen den Boden, das Wasser und die Luft. Viele Tier- und Pflanzenarten sterben dadurch aus.“ Gemeinsam mit den Jugendlichen backt sie die Frühstücksbrötchen während des Seminars. Sie erklärt, welche Zusatzstoffe in industriell gefertigten Brötchen sind: „In einem Brötchen steckt viel zu viel, was da eigentlich nicht hineingehört – von Sojamehl über Phosphat bis zu Enzymen. Die chemischen Zusätze sind übrigens notwendig, um unterschiedliches Getreide den standardisierten Produkten und modernen Maschinen anzupassen.“

Das Backen „natürlicher Brötchen“ auf Gut Gollin mit Mehl, Wasser, Salz, Hefe, Öl und Zucker überzeugt sogar Christin, 15, und Alex, 17. Ihre Mütter haben sie einfach zum Seminar angemeldet. „Mit Öko haben wir eigentlich nichts im Sinn!“, sagen beide. Jetzt wollen sie „umdenken und nicht mehr einfach konsumieren ohne nachzudenken“. Wer so denkt, hat den Ökoführerschein so gut wie in der Tasche.

---

[1] BUNDjugend: Jugendorganisation im „Bund für Umwelt und Naturschutz Deutschlands“

[2] Zivi-Stelle: eine Stelle als Zivildienstleistender (Alternative zum Wehrdienst beim Militär)

[3] der harte Öko-Kern: Anhänger ökologischer Lebensweise, die nichts anderes akzeptieren

[4] Ovo-Lakto-Vegetarier/in: isst kein Fleisch, isst aber Eier und trinkt Milch

[5] Selbstversorgergruppen: Gruppen, die ihre Lebensmittel direkt vom Erzeuger bekommen

b Ergänze die Tabelle in deinem Heft.

	Dorothee	Kersten	Laura	Christin + Alex
Wie ist er/sie dazu gekommen?				
bisherige Tätigkeiten für den Umweltschutz				
Beurteilung des Seminars				

E Aber ich werde alles anders machen

a Lies die ersten neun Zeilen des Textausschnitts aus dem Jugendbuch „Aber ich werde alles anders machen". Warum ist die Mutter wohl so aufgeregt, was glaubt ihr?

„Na, das ist doch die Höhe", sagt meine Mutter. „Kommt gar nicht in Frage. Das geht doch nicht. Du kannst dich doch nicht um dich selbst kümmern. Du bist zu jung. Du kannst doch nichts."
5 „Ich werde es lernen", sage ich. „Schau, noch nicht einmal Frühstück mache ich selbst. Keinen Knopf nähe ich an. Ich bin doch kein Kind mehr. Ich möchte meine Dinge selber in die Hand nehmen. Ich will lernen. Verstehst du."

b Lies weiter. Wie reagieren Kikis Vater und Mutter auf ihren Plan? Wie verteidigt sich Kiki?

„Das geht doch nicht", sagt meine Mutter. „Zur Schule gehen und sich selbstständig machen, das geht doch nicht."
„Einmal muss sie doch flügge werden", sagt
5 mein Vater. „Und in zwei Jahren wär sie sowieso soweit."
„Sie hat doch alles hier", sagt meine Mutter. „Sie will nur ihre sturmfreie Bude. Das sehe ich doch."
10 „Ich will meinen eigenen Kram machen", sage ich. „Und übrigens, wenn du das meinst: Mit dem Rollo habe ich auch hier geschlafen."
„Großer Gott", sagt die Mutter. „Da lebt man unter einem Dach, tagtäglich wohnt man zusam-
15 men, denkt, man kennt das Kind. Und dann? Was sind das für Zeiten heute. Für dumm verkauft wird man. Und ausbaden muss man sowieso alles. Später. Wenn's schief gegangen ist. Aber ich habe immer gesagt: kleine Kinder,
20 kleine Sorgen, große Kinder, große Sorgen."
„Mach dir keine Sorgen", sage ich. „Ich nehme alles in meine Hand. Ich mache schon keine Dummheiten."

c Lies den nächsten Abschnitt. Beschreibe Kiki (Alter, Verhalten).

Ich packe meine paar Dinge in einen Koffer. „Die Bücher hole ich später ab", sage ich. Ein bisschen graut's mir schon. So ein winziges Zimmer habe ich gefunden. Alles in weiß. Stahlrohrbett und al-
5 ter Kleiderschrank. Aber ein stabiler Schreibtisch steht drin. Küchenbenutzung ist im Mietpreis inbegriffen. Eigentlich ist es ein grässliches Zimmer. Beim Packen habe ich einen Kloß im Hals. Ich will nicht zeigen, dass ich gerührt bin oder
10 so. Ehrlich, ich habe eine Scheißangst. In diesem weißen Zimmer. Ein bisschen auch vor dem Alleinsein. Aber in mein Zimmer kommt nur jemand rein, der anklopft. Und ich muss „herein" sagen. Das ist wichtig, neben der Luft, meiner ur-
15 eigenen Luft zum Atmen.
„Tschüs", sage ich. „Ich rufe an. Und komme bald. Morgen, übermorgen. Je nachdem, wie ich einen Job für die Ferien finde. Es geht doch alles weiter wie bisher."
20 „Wenn du dich da mal nicht irrst", sagt meine Mutter. Sie hängt sich an meinen Hals und heult mir die Bluse nass. „Pass bloß auf. Dass dir nichts passiert."
„Ich bin doch nicht aus der Welt", sage ich.
25 „Ich kriege langsam Hunger", sagt mein Vater. „Da steht man so früh auf und gleich so'n Theater. Könntest langsam Frühstück machen. Oder soll ich dich fahren?"
„Nee", sage ich. „Ich komme allein zurecht."
30 Ich gehe zur Haustür und öffne sie.
„Warte", ruft meine Mutter. „Ich muss mir noch ein trockenes Taschentuch holen."
Durch den Vorgarten gehe ich zur Straße. Mein Vater steht an der Tür. Er trägt noch Schlafanzug
35 und Hausschuhe. Meine Mutter läuft durch den Korridor. Sie stellt sich neben meinen Vater, prustet heftig in das Taschentuch. Man hört es bis auf die Straße. Mit der freien Hand winkt sie. Noch an der Ecke, als ich mich umdrehe, sehe ich
40 meine Mutter in der Haustür stehen. Sicherlich sitzt mein Vater schon am Esstisch, wartet auf den Morgenkaffee.

Quellenverzeichnis

Bildquellen

Seite 7: Ballett: © Picture-alliance/dpa/dpaweb; Punk: © photoplexus/Hans-Guenter Wessely; Pfadfinder: © Picture-alliance/dpa; Fußballfans: © Picture-alliance/dpa/dpaweb; Greenpeace-Aktion: © Greenpeace/Santiago Engelhardt; Jumpstyle: © Achim Pohl, Das Fotoarchiv; Chor: © Ute Grabowsky/photothek.net
Seite 8: Simone: © Renate Alf
Seite 10: Kinder, Jugendliche: © Fotolia; Erwachsene: © Panthermedia
Seite 13: Hinterlegung: Foto von Jugendlichen: © Fotolia
Seite 15: Jugendliche: © Picture-alliance/dpa
Seite 22: Peilomat, Cinema Bizarre, Inlinehockey, Styling: © Messe Berlin; Berufsausbildung: © Picture-alliance/dpa
Seite 24: Party: © Messe Berlin
Seite 25: Fahr Sindram: © Picture-alliance/dpa
Seite 27: Ballon: © Panthermedia
Seite 28: Litfasssäule: © Panthermedia
Seite 29: Mobiltelefon: © MEV/MHV
Seite 30: Pleitegeier: © Finest Images/die Kleinert/Martin Guhl; Schuldnerberatung: © Picture-alliance/ZB
Seite 33: Buchcover: „Alles auf Anfang" von Barbara Lehner: © dtv Junior; „Rolltreppe abwärts": © Foto: Ravensburger, Abdruck honorarfrei; „Das kurze Leben der Sophie Scholl": © Foto: Ravensburger, Abdruck honorarfrei; „Cartoons für Lehrer" von Wilfried Gebhard: © Lappan Verlag; „Die paar Pfennige" von Marie Marcks: © rororo-Verlag; „Max und Moritz" von Wilhelm Busch: © dtv; „Gesammelte Werke" von J. W. von Goethe": © Otus Verlag; „Das Glasperlenspiel" von Hermann Hesse: © Suhrkamp Verlag; „Computer Lexikon 2009"von Peter Winkler: © Markt und Technik; „In 80: Tagen um die Welt" von Jules Verne: © dtv; „Blutige Steine" von Donna Leon: © Diogenes Verlag; „Das Auge des Leoparden" von Henning Mankel: © dtv; „Harry Potter und der Stein der Weisen" von Joanne K. Rowling: © Carlsen Verlag; „Der Herr der Ringe" von J.R.R Tolkien: © Klett-Cotta; „Die Tore der Welt" von Ken Follett: © Lübbe Verlag; „Das große Buch der Tiere": © Carl Hanser Verlag; „Das Herz zur Hölle" von Jean-Christophe Grange: © Ehrenwirth Verlag; Hinterlegungen: Buch 1: © Bildunion/Photodesign Frank Eckgold; Buch 2: © Bildunion/Christian Köhle
Seite 34: lesende Jugendliche: © Picture-alliance/Sander
Seite 35: alle Jugendliche: © Fotolia
Seite 36: Buchcover: „Trotzdem hab ich meine Träume" von Anatol Feid/Natascha Wegner: © rororo; „Mit Jakob wurde alles anders" von Kirsten Boie: © Oetinger Verlag; „Göttin gesucht" von Dorothee Haentjes: © dtv Junior; „Die Boygroup Ein Insider Roman" von Tobias Elsässer: © Arena Life; „Die Einbahnstraße" von Klaus Kordon: © 1997 by Ravensburger Buchverlag Otto Maier GmbH, Ravensburg
Seite 37: Buchcover: „Liens großer Traum" von Hans-Martin Große-Oetringhaus: © rororo; „Aber ich werde alles anders machen" von Dagmar Chidolue: © Beltz & Gelberg
Seite 38: Cover Hörbuch „Bitterschokolade": © Beltz und Gelberg
Seite 41: Flohmarkt, Bibliothek: © Picture-alliance/dpa; lesende Frauen: © Picture-alliance/Godong
Seite 42: Buchcover „Rolltreppe abwärts" von Hans-Georg Noack: © Foto: Ravensburger, Abdruck honorarfrei
Seite 44: Simone: © Renate Alf
Seite 45: Filmset: © Picture-alliance/dpa
Seite 46: Foto: © Picture-alliance/ZB,
Seite 47: Foto: © Picture-alliance/dpa
Seite 48: beide Fotos: © Picture-alliance/dpa
Seite 51: C. Klimt: © Picture-alliance/SCHROEWIG
Seite 52: D. Brühl: © Picture-alliance/Sven Simon
Seite 53: F. Potente: © Picture-alliance/Sven Simon; J. Jentsch: © Getty Images
Seite 54: Max: © Picture-alliance/dpa/dpaweb
Seite 58: JuFinale: © Institut für Medienpädagogik
Seite 59: Elektroschrott: © Picture-alliance/ZB; Ölpest, Abgase, Gletscher: © Picture-alliance/dpa; Atomenergie: © Panthermedia; Waldrodung: © Finest Images/Wrba
Seite 60: Antarktis: Finest Images/Animal Press/Fritz Pölking; Amazonas: © Picture-alliance/dpa
Seite 61: Mücke: © OKAPIA KG, Germany
Seite 63: Niedrigenergiehaus: © Finest Images/Viessmann
Seite 65: alle Fotos: © Picture-alliance/dpa
Seite 68–69: Hinterlegung: Mikro: © Ersin Kurtdal/fotolia.com
Seite 69: Logo FÖJ: © Öko-Jahr.de
Seite 70: Franz Hohler: © Picture-alliance/dpa
Seite 77: Kuh: © Intro/Marcus Schmigelski
Seite 78: Berlinkarte: © Cartomedia/Angelika Solibieda; Berliner Mauer: © Picture-alliance/ZB; Marktverkäufer: © Picture-alliance/dpa; Moschee: © Saba Laudanna
Seite 81: Denkmal: © Picture-alliance/ZB; Brandenburger Tor: © Fotolia
Seite 82: Rosinenbomber: © Picture-alliance/dpa; Bau der Berliner Mauer: © ullstein bild - C.T. Fotostudio; Mauerfall: © ullstein bild - C.T. Fotostudio
Seite 84: Poesie-Plakat: © Picture-alliance/dpa
Seite 85: Radrennen: © Picture-alliance/ASA; Roulette: © Picture-alliance/ZB; Aschenbecher: © Picture-alliance/ZB; Extrembügeln: © Picture-alliance/dpa/dpaweb; Magersucht: © Picture-alliance/dpa; Koksen: © Picture-alliance/ZB; Bizeps: © Picture-alliance/dpa
Seite 86: Plakate nach Vorlage des Otto-Hahn-Gymnasium in Göttingen
Seite 90: Bodybuilder: © Panthermedia
Seite 92: Buchcover „Die Einbahnstraße" von Klaus Kordon: © 1997 by Ravensburger Buchverlag Otto Maier GmbH, Ravensburg
Seite 96: Filmplakat „Lauf um dein Leben": © Kiniwelt; Foto A. Niedrig: © Picture-alliance/Jörg Carstensen
Seite 98: A. Niedrig: Picture-alliance/dpa
Seite 99: Senioren: © Picture-alliance/ZB; Ehepaar: © Panthermedia; Teenager: © Bildmaschine.de/Robert Kneschke; Gruppe: © argum/Thomas Einberger; Hände: © Panthermedia; Vater mit Kind: © Fotolia; Mutter mit Baby: © Fotolia
Seite 102: Handkuss: © die bildstelle/BE&W AGENCJA; Brautpaar: © Panthermedia; Mutter mit Baby: © Panthermedia; Freundinnen: © A1PIX/ESB
Seite 104: Jugendliche: © Picture-alliance/KPA/Uselmann
Seite 106: Freundinnen: © Picture-alliance/dpa; Freunde: © Picture-alliance/KPA
Seite 107: Foto: © Hachy Hagemeyer
Seite 110: Streitschlichter: © Picture-alliance/dpa
Seite 111: Model: © Picture-alliance/dpa; A. Jolie: © Getty Images/WireImage; Skulptur: © Picture-alliance/IMAGNO; Bodybuilder: © www.kirsten-neumann.de; David (Skulptur): © Picture-alliance/KNA-Bild; B. Pitt: © Picture-alliance/dpa; Mädchen im Rollstuhl: © Getty Images
Seite 112: Foto: © Picture-alliance/Schroewig/Eva Oertwig
Seite 113: Foto: © Picture-alliance/dpa
Seite 117: Nasen-OP: © mediacolors/Forkel
Seite 119: zwei Sportler: © Picture-alliance/dpa
Seite 121: Foto: © Picture-alliance/ZB
Seite 122: Hinterlegung: Rollstuhl: © MEV/MHV
Seite 123: alle Fotos: © MHV/Kiermeier
Seite 124: alle Fotos: © MHV/Kiermeier
Seite 126: Comic-Cover: Gigantik: © Ehapa-Verlag; Perry Rhodan: © Illustration: Jonny Bruck/Pabel-Moewig Verlag KG, Rastatt; Jeremiah: © Carlsen Verlag

Seite 127: Transrapid: © Picture-alliance/dpa; Nokia Handheld: © Vodafone; rechts: © Picture-alliance/dpa
Seite 133: Logos: links: © Bund Deutscher Pfadfinderinnen; mitte: © Jugend im Bund für Umwelt und Naturschutz Deutschland e.V.; rechts: © Naturschutzjugend
Seite 134: Kastanien: © Picture-alliance/ZB

Textquellen

Seite 10: (K)ein bisschen erwachsen: © Juma 1/2005
Seite 14/15: Shell Jugendstudie: © Shell 2006
Seite 16/17: Darf ich? © Juma 01/2005
Seite 18/19: „Mit Vollgas in die Kurve", Bernhard Hagemann, Ravensburger Buchverlag, Otto Maier GmbH, Ravensburg 1999
Seite 23: mit freundlicher Genehmigung der Messe Berlin
Seite 28/29: Konsum ist Klasse: © AOK Bundesverband
Seite 31: Taschengeld: © AOK Bundesverband; Tabelle für Taschengeld: © Deutscher Kinderschutzbund
Seite 35 : Lesen – warum? © Juma 02/2005
Seite 36/37: Klappentexte: „Trotzdem hab ich meine Träume" von Anatol Feid/Natascha Wegner: © rororo Rotfuchs; „Mit Jakob wurde alles anders" von Kirsten Boie: © Oetinger Verlag; „Göttin gesucht" von Dorothee Haentjes: © dtv junior; „Die Boygroup" von Tobias Elsässer: © Arena; „Die Einbahnstraße" von Klaus Kordon: © 1997 by Ravensburger Buchverlag Otto Maier GmbH, Ravensburg; „Liens großer Traum" von Hans-Martin Große-Oetringhaus: © Rowohlt; „Aber ich werde alles anders machen" von Dagmar Chidolue: © Beltz und Gelberg
Seite 38: Hört, Hört: © Juma 03/2005
Seite 42: Text aus „Rolltreppe abwärts", Hans-Georg Noack: © Jugendstiftung Hans-Georg Noack
Seite 46–48: Überleben im Seifenschaum: © Nadeschda Scharfenberg, SZ vom 26.02.2004
Seite 54: Max beim Film: © Juma 2/2003
Seite 56: Anlaufstelle für junge Filmemacher: © Juma 04/2004
Seite 60/61: Die Folgen des Klimawandels: © Jürgen Paeger
Seite 64: Energie-Agenten retten die Umwelt: © Thurgauer Zeitung, 16. Nov. 2007
Seite 70–72: „Weltuntergang" aus F. Hohler, Das Kabarett Buch: © Franz Hohler, Zürich
Seite 74/75: Stadt oder Land, Sekt oder Selters: © Katja Freunek
Seite 78/79: Buntes Berlin: © Juma 01/2005
Seite 84: Gedichte: „frieren": © literaturhaeuser.net-Laetitia Eskens; „Herbst": © Lilly Bacher, literaturhaeuser.net; „stadtjazz": © Jan Overbeck
Seite 88/89: „Bis der Kühlschrank leer ist" aus Mirjam Pressler, Bitterschokolade, 1980, © Beltz und Gelberg,
Seite 90: Wenn der Bizeps nie groß genug ist: © einslive/Till Opitz
Seite 92/93: Auszug aus „Die Einbahnstraße" von Klaus Kordon, Die Einbahnstraße, Beltz Verlag
Seite 96–98: Sport statt Drogen: © Institut für Kino und Filmkultur
Seite 107/108: Gemeinsam geht es besser: © Juma 04/2005
Seite 109: Recht und Unrecht – aus Sicht der Lehrer: © Gesamtschule Harburg
Seite 112/113: Haben schöne Menschen mehr Glück in der Liebe? © C6-Magazin
Seite 116: Neue Nasen für Teenies: © dpa
Seite 119: Gedicht „Normal: © Behindertensportverband NRW; Was ist denn nun mit deiner Schwester? © Opinio Mediengruppe RP
Seite 121: Integration – einmal umgekehrt: © Behindertensportverband NRW
Seite 123/124: Körpersprache: © Juma 1/2004
Seite 126: Einen Blick in die Zukunft von damals: © H_ media factory GmbH/Yasmin Kötter
Seite 128: „Lebenslinien" aus Dagmar Chidolue, Aber ich werde alles anders machen. Gulliver Taschenbuch 730, 1981/1994, Beltz & Gelberg, Weinheim und Basel
Seite 130/131: Zukunfts-Planspiel: © SPIEGEL ONLINE, Katrin Schmiedekampf, 10. März 2008
Seite 132: Gedicht „Falsches Lied": © The Japan Association for Language Teaching
Seite 134/135: Durchblicken statt Wegsehen: © Juma 2/2002
Seite 136: „Aber ich werde alles anders machen" aus Dagmar Chidolue, Aber ich werde alles anders machen. Gulliver Taschenbuch 730, 1981/1994, Beltz & Gelberg, Weinheim und Basel